JN2383336

パターンから
裁断までの
基礎の基礎

水野佳子

服作りは採寸・裁断・縫製。着る人に合うパターンで布を裁ち、仕立てます。この本では、ソーイング本付録の実物大パターンを使用するときの裁断までとパターンのサイズ補正を、すべて写真で解説しています。縫い始めてからの不具合がないパターンを作り、正確な裁断をしましょう。正確な裁断をすることは、きれいに仕上げるためにも必要なことです。実物大パターンを活用して、縫う工程での心持ちもでき上がってからの着心地もいい、服作りを楽しんでもらえたらうれしいです。

文化出版局

CONTENTS

パターン作り

- ●用具 …… 6

- ●パターンの選び方 … 7
  - ・パターン仕上り寸法と
    参考ヌード寸法

- ●パターン上の記号 … 8
  - ・地の目線
  - ・わに裁つ
  - ・タック
  - ・ギャザー
  - ・ダーツ

- ●パターンを写す …… 10
  - ・写す前に印をつける
  - ・パターンの上に
    紙をのせる
  - ・直線を写す
  - ・曲線を写す

- ●パターンチェック … 20
  - ・肩線、衿ぐり、袖ぐり
  - ・脇線、裾
  - ・袖下、袖ぐり、袖口
  - ・ダーツ
  - ・袖山と袖ぐり

- ●縫い代をつける …… 28
  - ・曲線に縫い代をつける
  - ・直線に縫い代をつける
  - ・注意したい縫い代つけ
  - ・パターンをカットする

裁断

- ●用具 …… 38

- ●地直し …… 39

- ●布地の重ね方 …… 40
  - ・布地を合わせる
  - ・布地を二つ折りにして
    重ねる

- ●裁合せ …… 42
  - ・裁合せ例

- ●布地の柄と方向性 … 44
  布地、ストライプ・ボーダー柄、
  チェック柄、毛足のある布地
  - ・柄合せ例

● 布地を裁つ ……… 56
　・裁ちばさみで
　　裁断する
　・ロータリーカッターで
　　裁断する

● 接着芯を裁つ ……… 60
　・部分芯
　・全面芯

● 印つけ ……… 63
　・ポケット位置
　・ダーツ位置

パターンの補正

● サイズについて ……… 70

● 丈の補正 ……… 71
　・着丈を変える
　・袖丈を変える
　・スカート丈を変える
　・パンツ丈を変える

● 幅の補正 ……… 80
　・身幅と袖幅を変える
　・スカート幅を変える
　・パンツ幅を変える

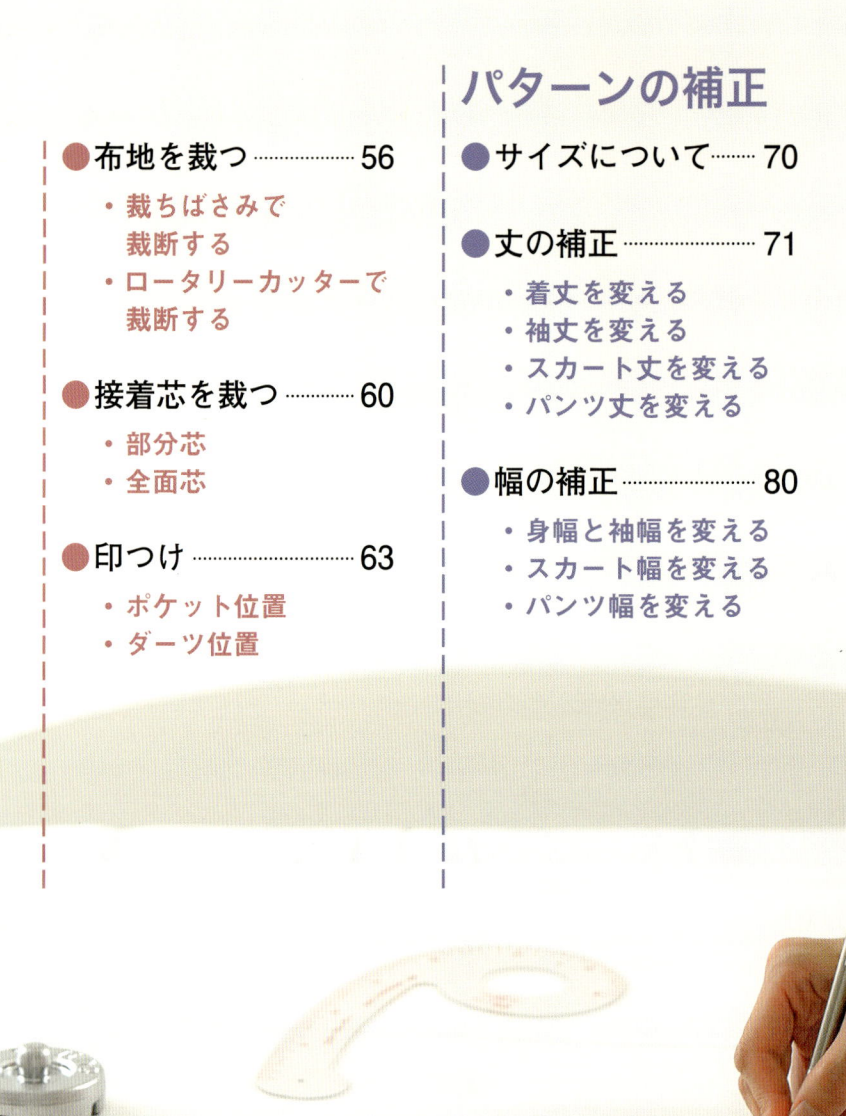

［洋裁用具のお問合せ］

〈p.6〉ハトロン紙、方眼定規 50cm、方眼定規 30cm、定規 30cm、重し、Hカーブルーラー、Dカーブルーラー、洋裁裁断曲線製図用原型、シャープペンシル、消しゴム、メジャー、カッター定規、カッターボード、カッター、紙切りばさみ
〈p.11〉カラーマーカー、付箋
〈p.38〉カッターボード、裁ちばさみ、ロータリーカッター、まち針、ピンクッション、重し、目打ち、ソフトルレット、ルレット、チョークペンシル、三角チョーク、両面チョークペーパー、片面チョークペーパー
〈p.59〉ロータリーカッター＆替え刃
〈p.72〉メンディングテープ
〈p.92〉0.3シャープペンシル

上記の洋裁用具のお問合せ
「学校法人　文化事業局　購買部　外商課」
〒151-8521　東京都渋谷区代々木3-22-1
TEL 03 (3299) 2048 ／ FAX 03 (3379) 9908
※2010年2月現在の取扱いの商品です。

パターン作り

パターンとは、衣服などを作るときの型を紙に描いて切り抜いた、裁断用の型紙のこと。

パターン作りは、着る人に合うサイズを選ぶことから始める裁断の準備です。

裁断してから裁ち間違いに気づいたり、縫い始めてから縫い合わせる寸法が合わなかったり、

そんな不具合のないパターンを作りましょう。

用具

パターンの選び方

パターン上の記号

パターンを写す

パターンチェック

縫い代をつける

用具

パターンを作るのにあると便利なもの。

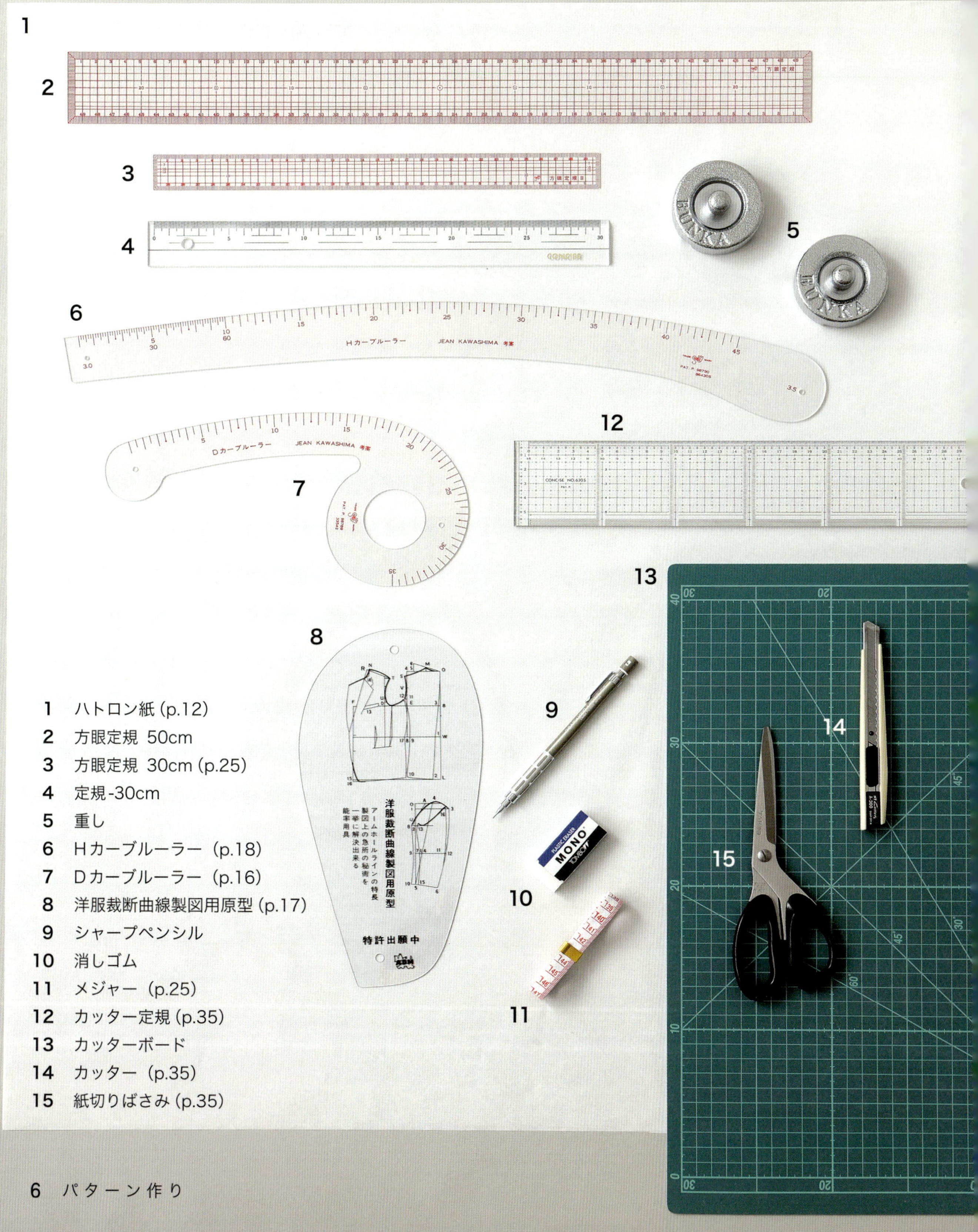

1　ハトロン紙（p.12）
2　方眼定規　50cm
3　方眼定規　30cm（p.25）
4　定規-30cm
5　重し
6　Hカーブルーラー　（p.18）
7　Dカーブルーラー　（p.16）
8　洋服裁断曲線製図用原型（p.17）
9　シャープペンシル
10　消しゴム
11　メジャー（p.25）
12　カッター定規（p.35）
13　カッターボード
14　カッター　（p.35）
15　紙切りばさみ（p.35）

6　パターン作り

パターンの選び方

お手持ちのソーイング本についている実物大パターンの中から、着る人に合ったサイズを選ぶ。

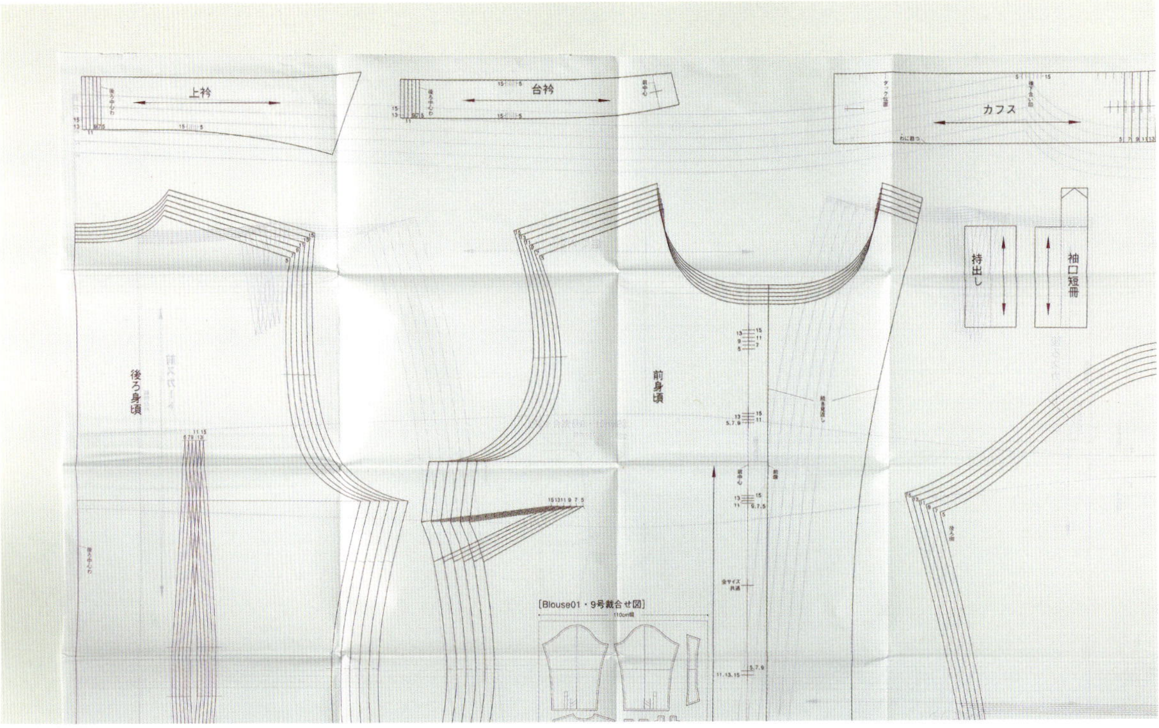

パターン仕上り寸法と参考ヌード寸法

まず、着る人の寸法をはかる。
ソーイング本付録のパターンのサイズ表から着る人の寸法に近いサイズを選ぶ。
サイズ表にはパターン仕上り寸法と参考ヌード寸法があり、ヌード寸法だけの場合もある。
仕上り寸法とは、ゆとり分が含まれたでき上り寸法のこと。
ゆとり分はアイテムやデザインにより異なり、ヌード寸法と比べてみて、ゆとりがどれくらい入っているのかを知ることができる。

上のパターンと右のサイズ表は、『私にぴったりな、ブラウス、スカート、パンツのパターンがあれば……』から。

本書には実物大パターンはついていません。

パターン仕上り寸法（単位はcm）

	(サイズ)	5	7	9	11	13	15
ブラウス	バスト	87	90	93	96	99	102
	着丈	61	61.5	62	62.5	63	63.5
	肩幅	34.5	35.5	36.5	37	38	38.5
	袖丈	57	57.5	58	58.5	59	59.5
スカート	ウエスト	62	65	68	71	74	77
	ヒップ	88	91	94	97	100	103
	スカート丈	58.6	58.8	59	59.2	59.4	59.6
パンツ	ウエスト	62	65	68	71	74	77
	ヒップ	89	92	95	98	101	104
	股上	24.4	24.7	25	25.3	25.6	25.9
	股下	75	75	75	75	75	75

参考ヌード寸法

(サイズ)	5	7	9	11	13	15
バスト	77	80	83	86	89	92
ウエスト	60	63	66	69	72	75
ヒップ	85	88	91	94	97	100

パターン上の記号

実物大パターン上にある様々な記号の意味を覚える。

地の目線

布地の耳に平行（縦地）に合わせる。

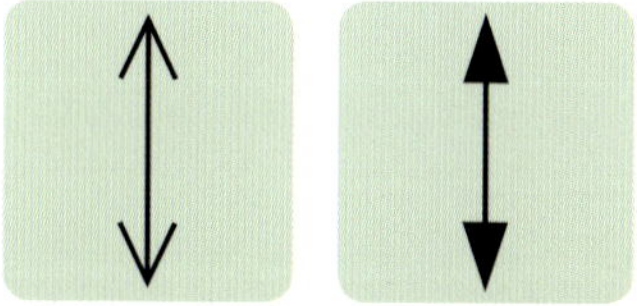

◎横地に裁つ 　　◎バイアスに裁つ

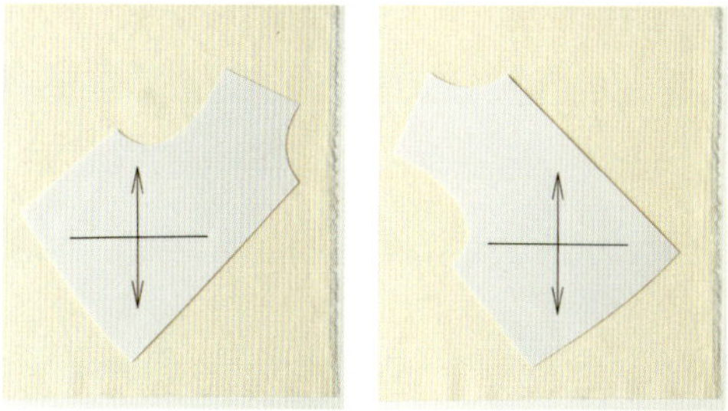

わに裁つ

わに裁つ位置を表わす線。パターンの前中心、後ろ中心に多い。

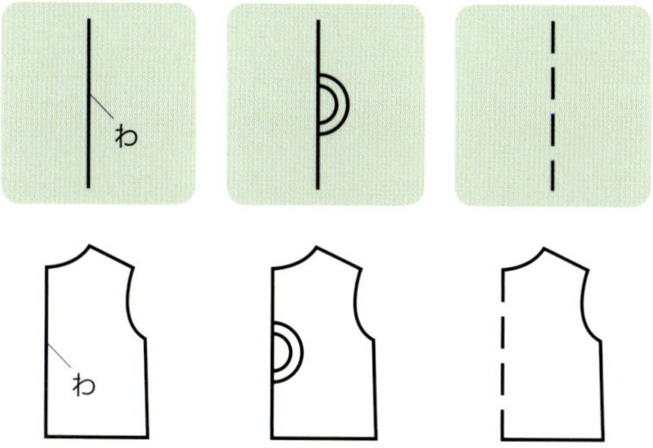

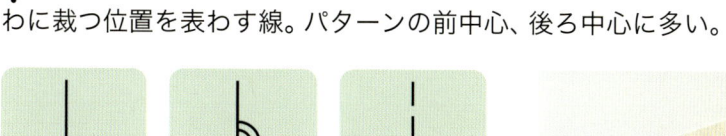

タック

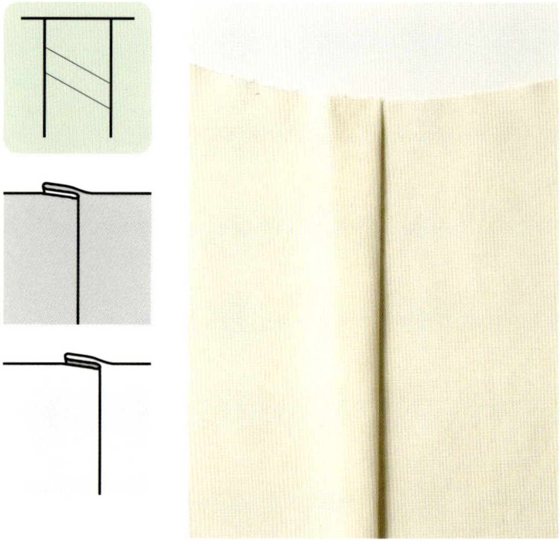

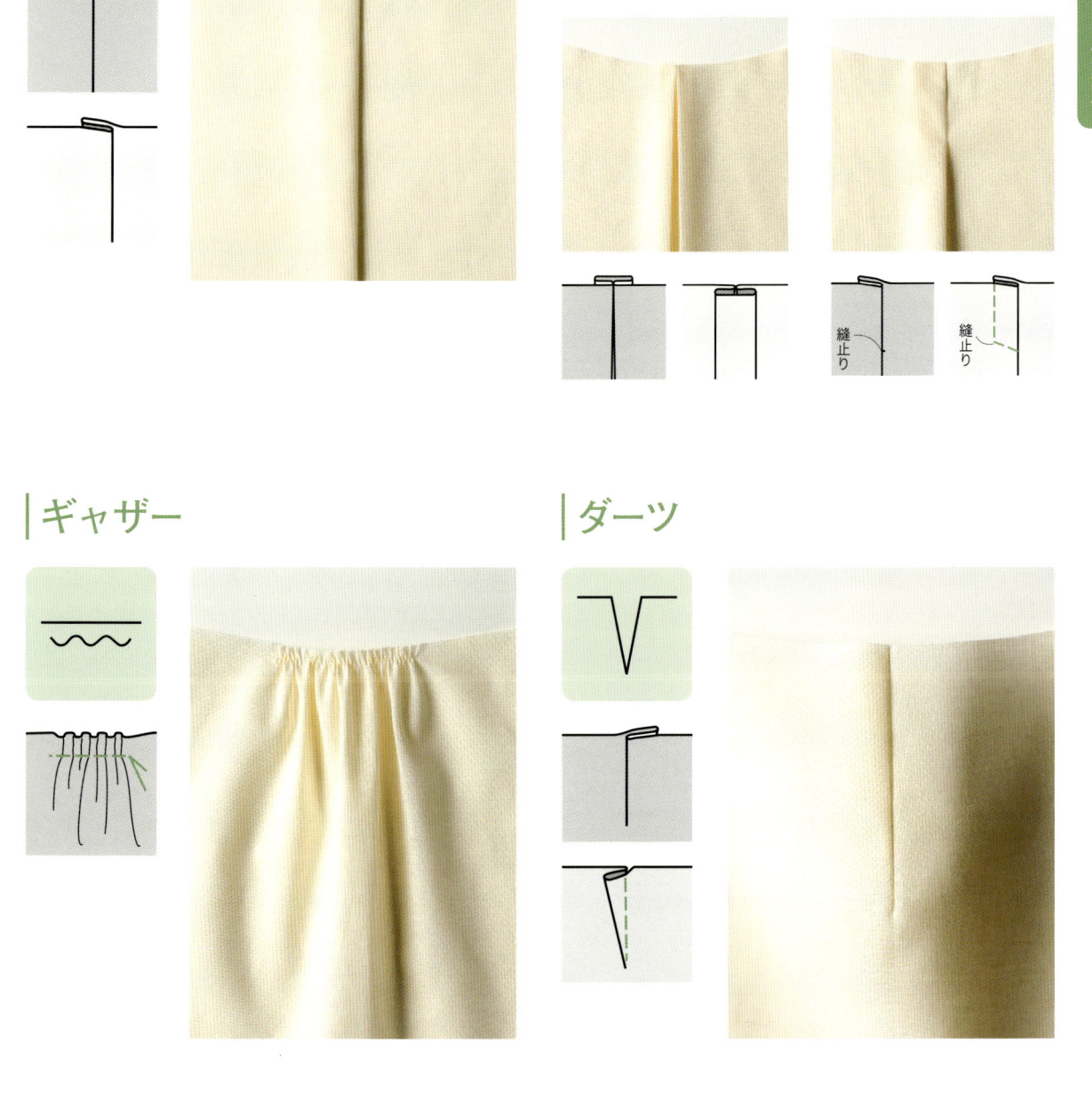

◎突合せ 　　◎縫止り

パターン上の記号

縫止り　　縫止り

ギャザー

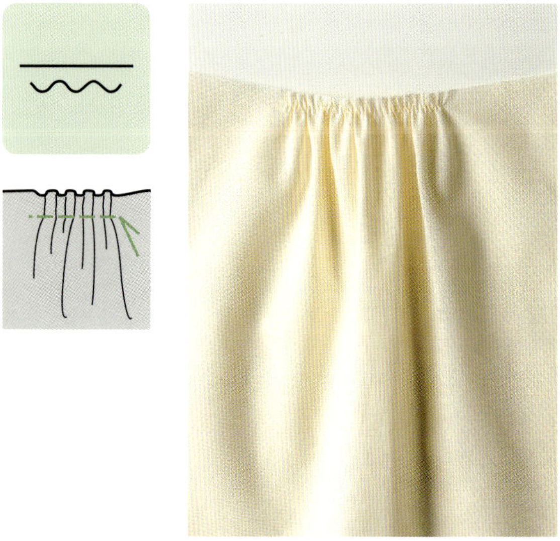

ダーツ

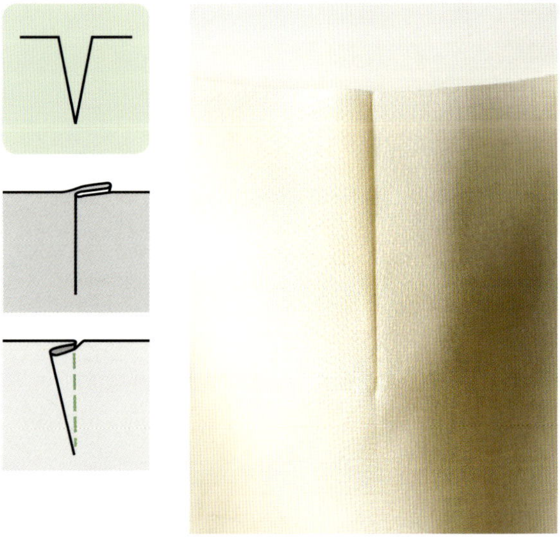

パターン作り　9

パターンを写す

写す前に印をつける

お手持ちのソーイング本の実物大パターンは、いくつかのパーツが重なっていることが多い。
作りたいアイテムとサイズが決まったら、写しとるパターンに印をつけておくとわかりやすい。

◎色ペンで目印をつける

写している途中で混乱しないようにサイズ、合い印、角などに印をしておくといい。

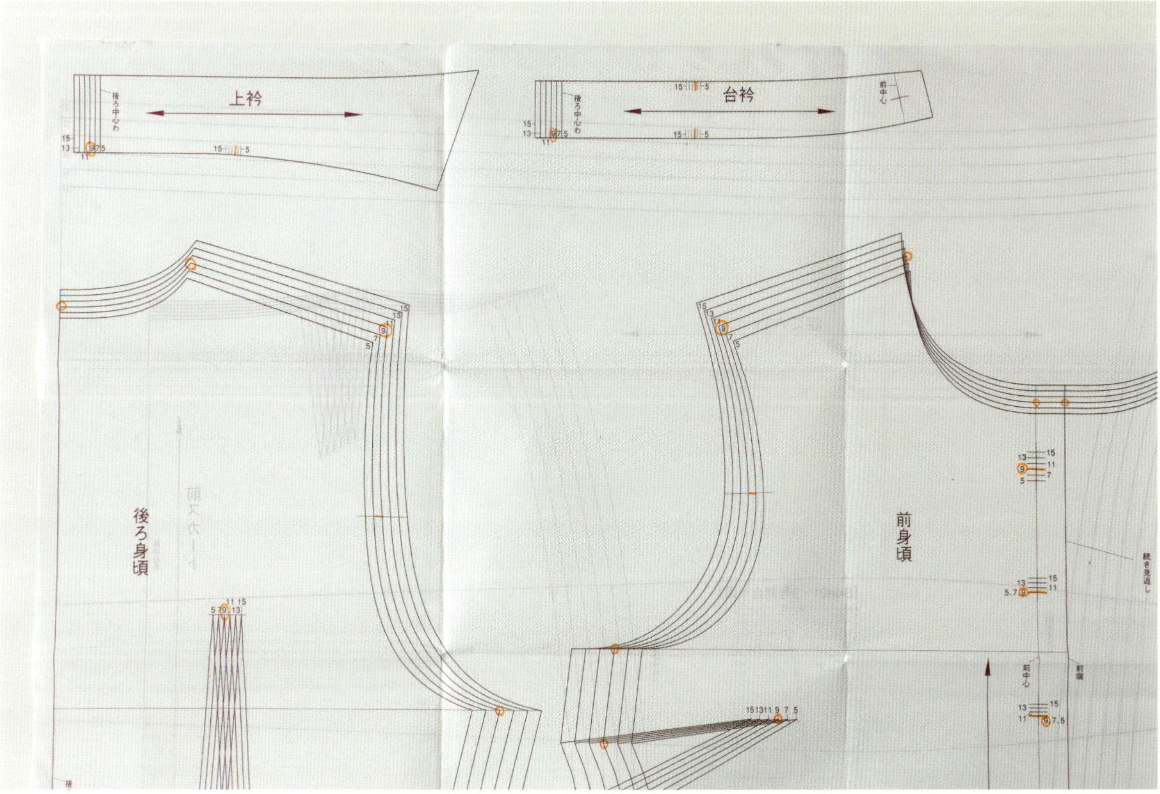

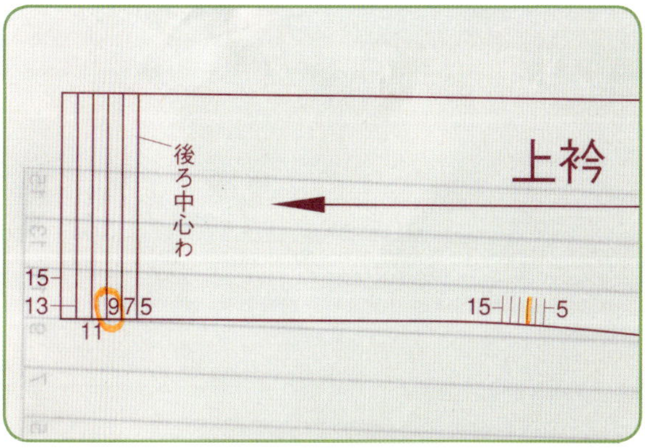

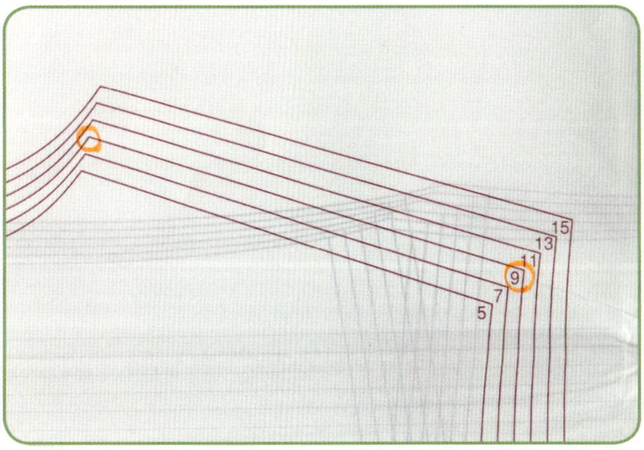

◎付箋をはる

パーツが多いときは、付箋をはっておくと間違いや見落しを防げる。

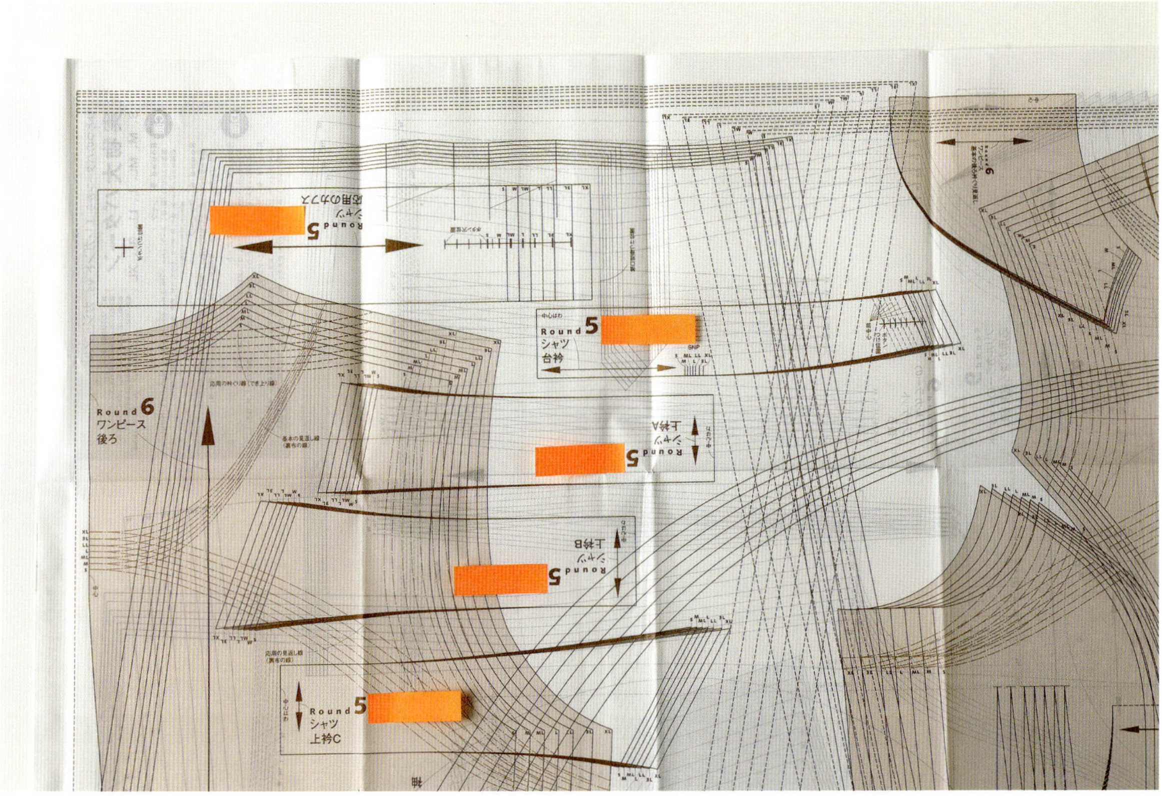

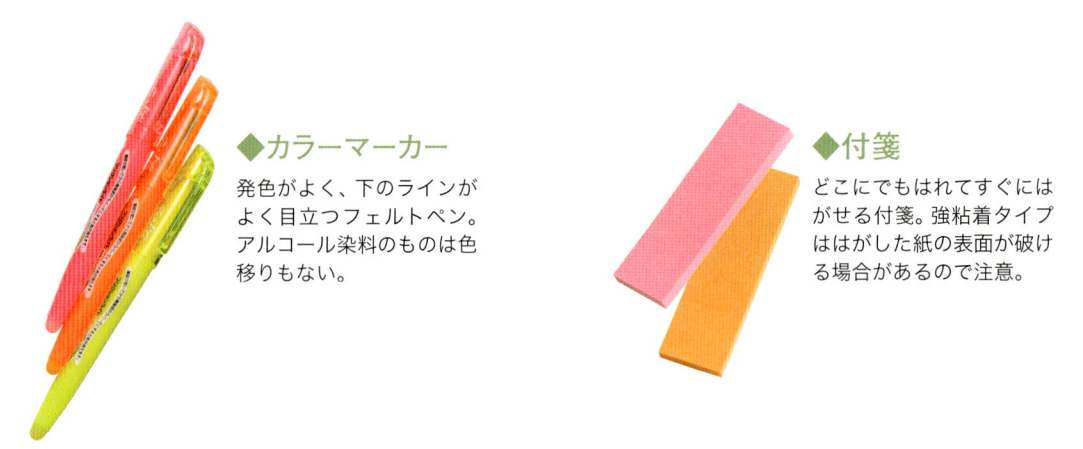

◆カラーマーカー
発色がよく、下のラインがよく目立つフェルトペン。アルコール染料のものは色移りもない。

◆付箋
どこにでもはれてすぐにはがせる付箋。強粘着タイプははがした紙の表面が破ける場合があるので注意。

パターン作り　11

パターンの上に紙をのせる

後ろ身頃で説明。

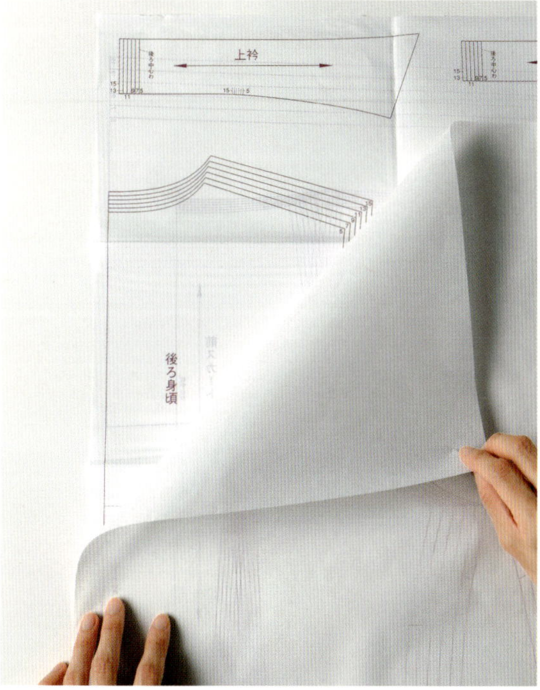

1 写したいパターンの周囲に少し余白があるように紙を
のせる。

2 紙が動かないように重しで押さえておく。このとき写
しとる線上にかからないようにする。

◆**ハトロン紙**
片面がつや出しのクラフト紙。つやのない面に鉛筆等で
線を引く。

直線を写す

中心線から写す。長い距離は定規を移動させながら線を引く。

1 紙越しに透けて見える後ろ中心線に定規を正確に当て、押さえた左手の範囲内の線を引く。

2 ペン先は紙から離さずに、定規だけを移動する。

3 1、2を繰り返して直線を写していく。

中心線から周囲に向かって写していく。角はすきまがないように。

パターン作り　13

曲線を写す

◎フリーハンド

つながりのいい1本の線になるように引く。

1 パターンの線をたどりながら曲線を写していく。

2 カーブの強い部分は、少しずつ引く。

◎直線定規を使う

定規を少しずつずらして曲線に合わせながら線を引く。

1 p.13の[直線を写す]の要領で、定規を少しずつずらしながら写していく。

2 ペン先は紙から離れないようにすると、段差のないなだらかな線が引ける。

パターン作り　15

◎ Dカーブルーラーを使う

パターンの曲線に合うカーブを当てながら線を引く。

1 衿ぐりに合わせる。

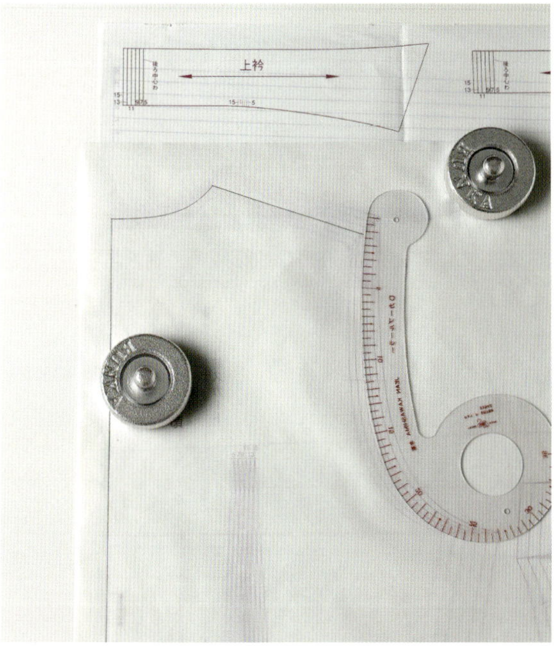

2 袖ぐりに合わせる。

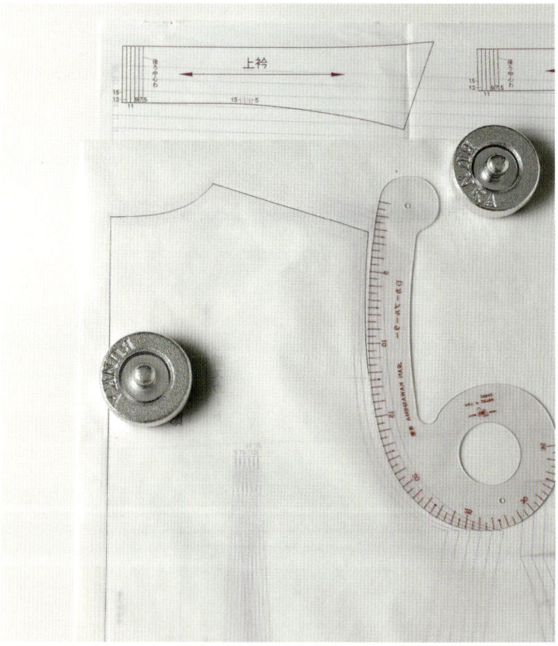

3 合うカーブにずらしながら曲線を写す。

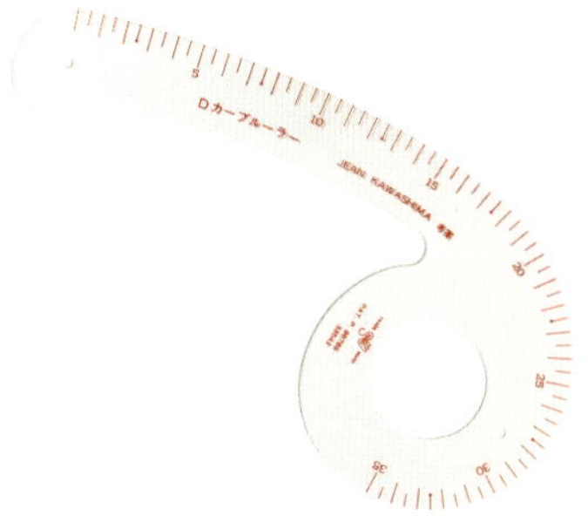

◆ Dカーブルーラー

"D"はDeep(深い)の頭文字をとったもの。
袖ぐり、衿ぐりなどくりの深い箇所の作図の
ときに、また曲線の長さをはかれる。

16　パターン作り

◎特殊な定規を使う

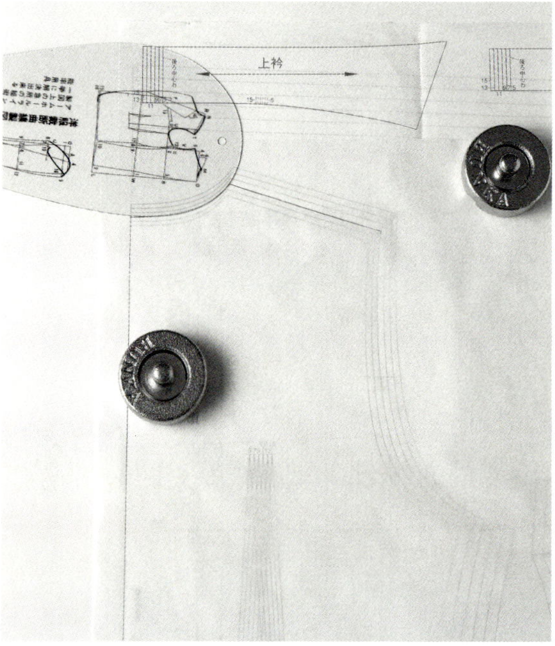

1 　衿ぐりに合わせる。

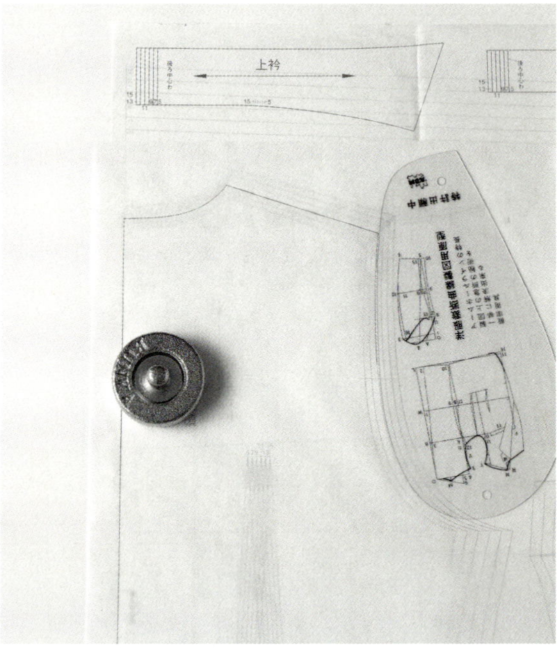

2 　袖ぐりに合わせる。p.16の [Dカーブルーラーを使う] の要領で引く。

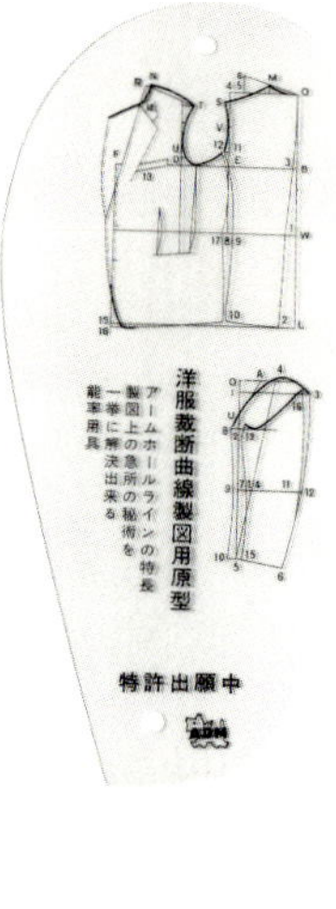

◆洋服裁断曲線 製図用原型

衿ぐり、袖ぐり、袖山などのカーブを引くときに。

パターン作り　17

◎ Hカーブルーラーを使う ※写真はスカートの脇線で説明。

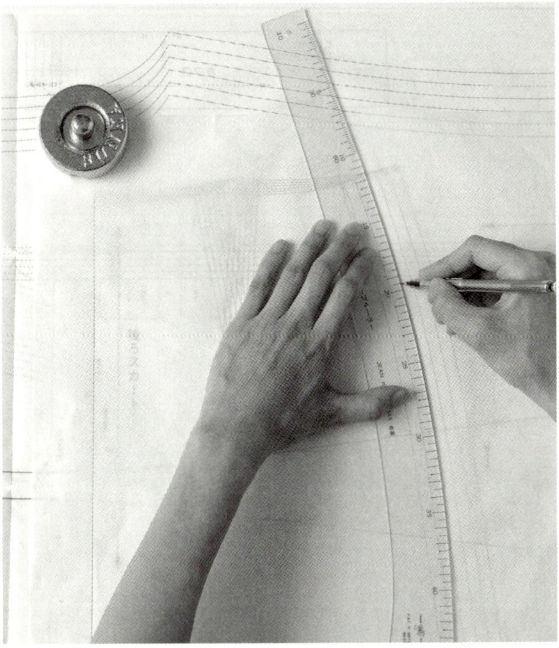

1 ウエストからヒップラインまでのカーブに合わせて曲線を写す。

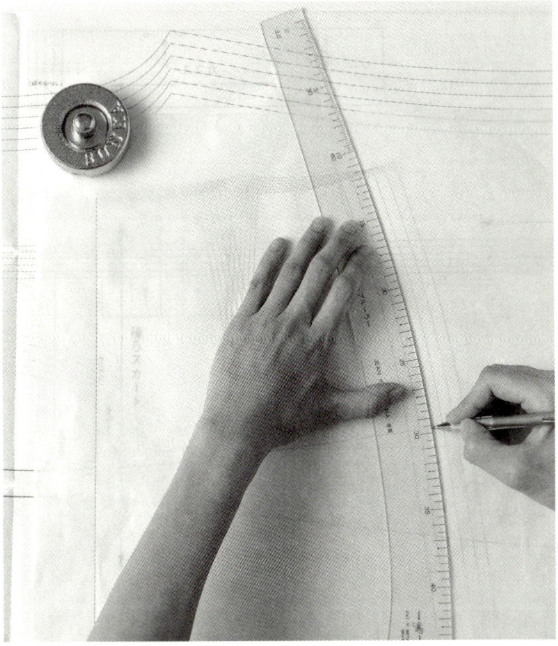

2 ヒップラインの位置でいったん止める。

3 ヒップラインから裾線までは直線なので、直線定規や方眼定規に替えて引く。

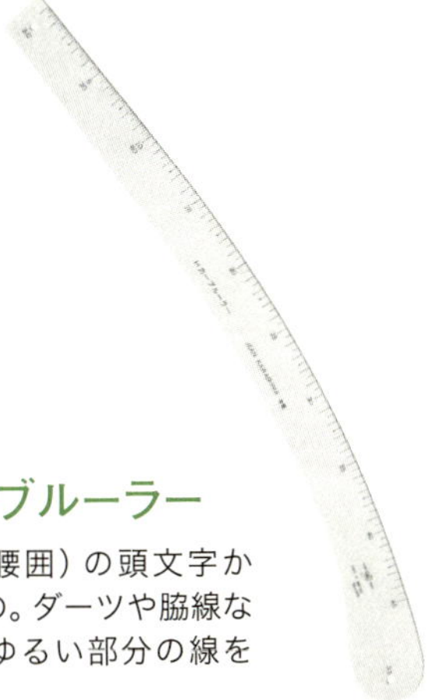

◆Hカーブルーラー

"H" はHip（腰囲）の頭文字からとったもの。ダーツや脇線などカーブのゆるい部分の線を引くときに。

パターンの下に紙を置いて写す

線がわかりにくい場合は、パターンの下に紙を置き、ルレットで写しとる。

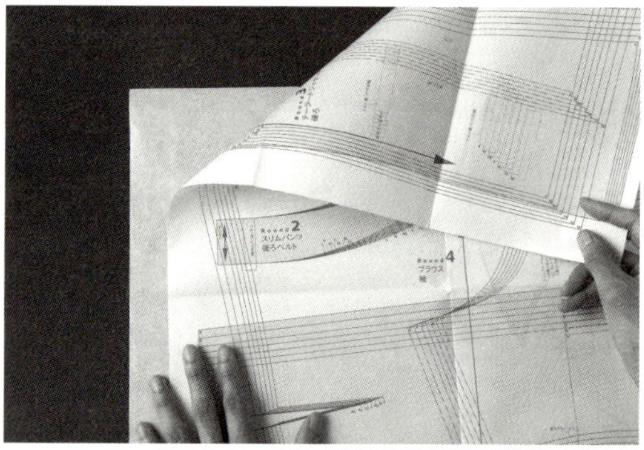

1 写したいパターンが入るように紙を下に置く。

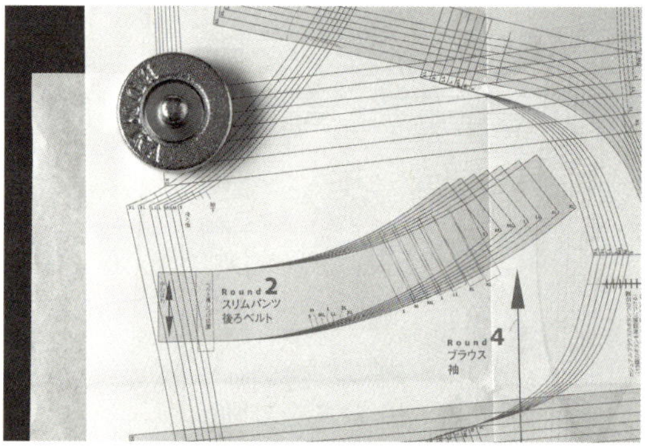

2 動かないように重しで押さえる。

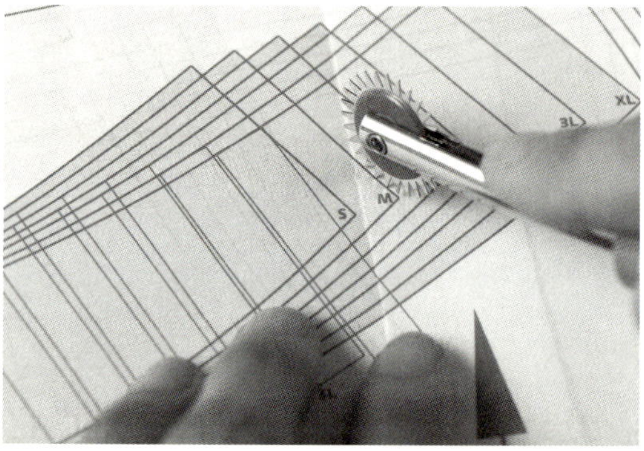

3 ルレットで、下にある紙に線を写していく。

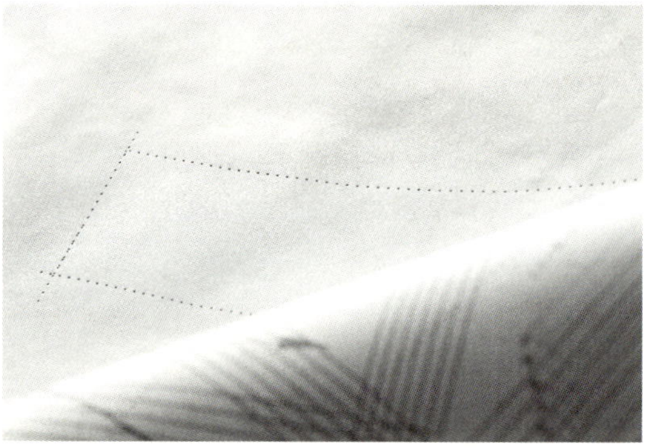

4 ルレットでしるした跡。ルレットの跡に沿って線を引く。

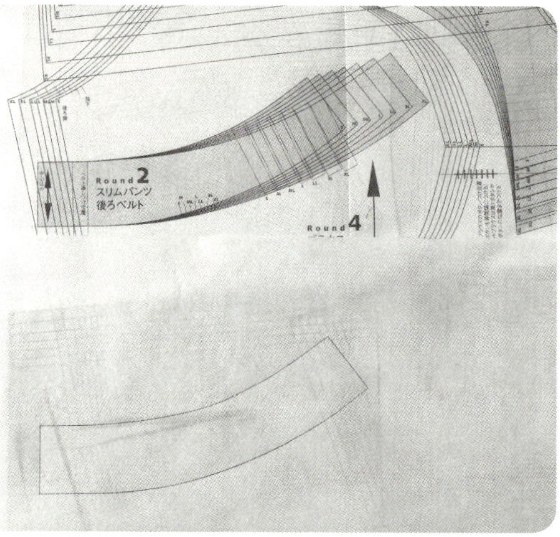

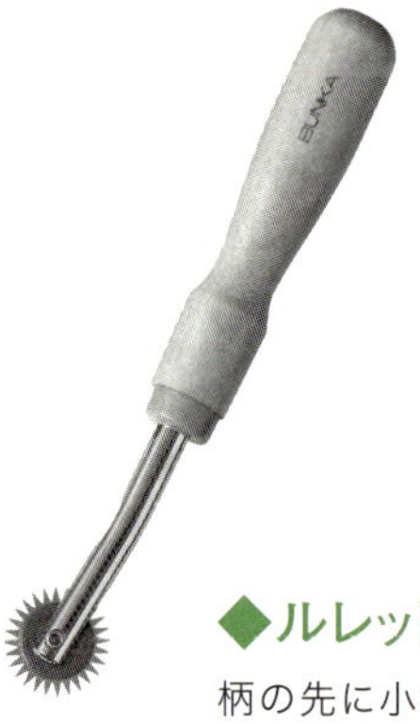

◆**ルレット**

柄の先に小さな歯車のついた道具。歯車を回転させて紙・布地などに点線の印をつける。

パターン作り　19

パターンチェック

縫い合わせる線の寸法を確認して、線のつながりを見る。
定規ではかるだけでなく、パターンとパターンを重ね合わせる方法も。
直線どうしの寸法は表と表の状態でパターンを突き合わせ、
曲線の場合は片方を裏返して重ねて確認するといい。

｜肩線、衿ぐり、袖ぐり

縫い合わせる状態に突き合わせて確認する。

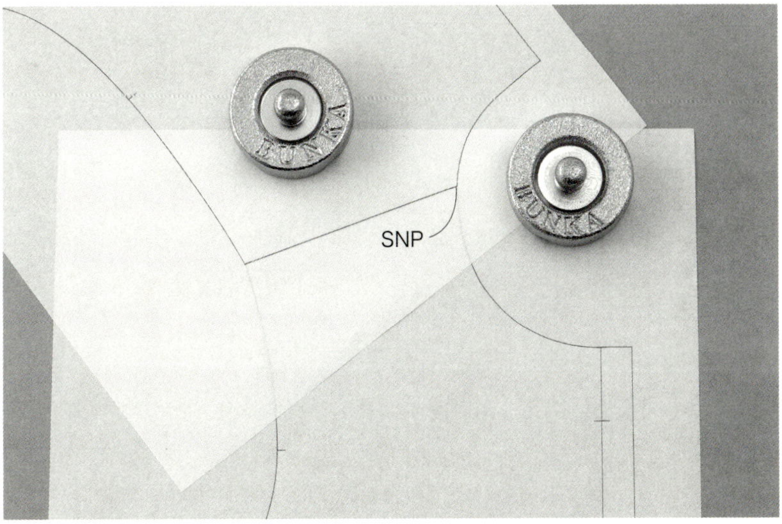

【SNP】

サイドネックポイントという。首つけ根回りの線上で、肩線とぶつかる点のこと。

1 前後のパターンを、後ろ身頃を上にして、肩線で突き合わせる。このときSNPを合わせる。

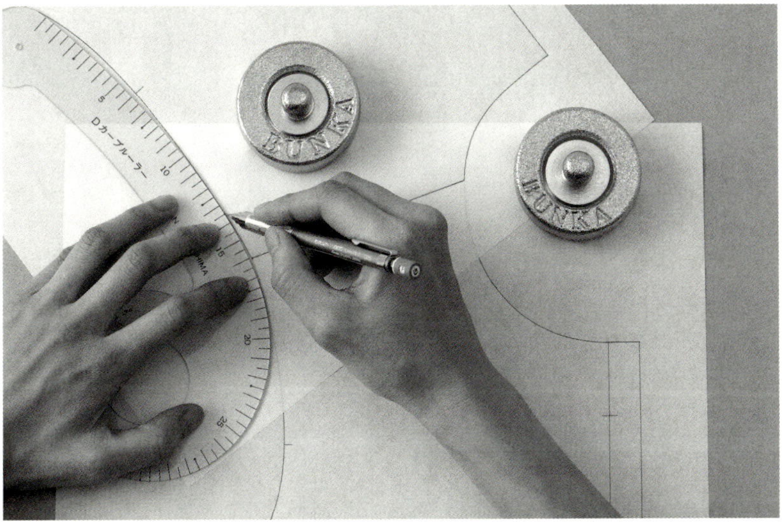

2 前後の袖ぐり線がずれるときは、つながりよく線を引き直す。

20 パターン作り

3 後ろの袖ぐりを引き直したところ。前の袖ぐりは後ろ身頃のパターンを下にして写し直す。

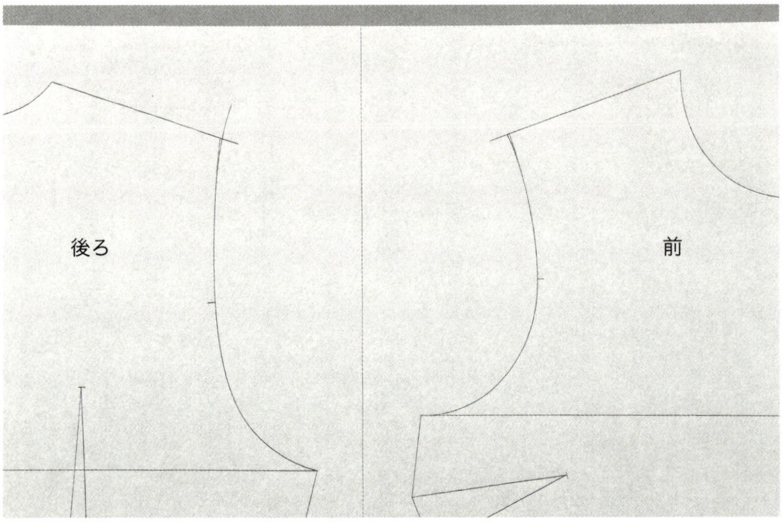

後ろ　　　　　　　前

4 パターンチェックが済んだところ。

パターン作り　21

脇線、裾

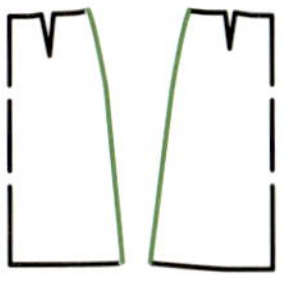

◎スカートの場合

1 ウエストラインからヒップラインまでの曲線の寸法は、片方を裏返して重ね、確認する。

2 ヒップラインから裾までの直線は表にして突き合わせ、寸法を確認する。前後の裾線がずれる場合はつながりよく線を引き直す。

◎身頃の場合

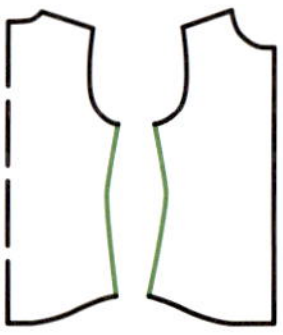

突き合わせて寸法を確認して、裾線のつながりをみる。

◎パンツの場合

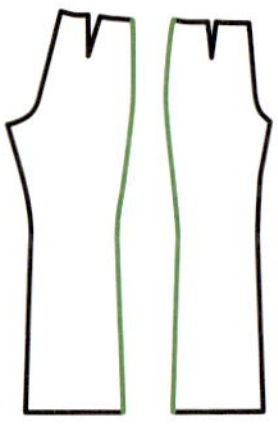

一度に合わせられない線は、少しずつずらしながら寸法を確認していく。

パターン作り　23

袖下、袖ぐり、袖口

筒状に縫い合わせるパターンは筒にして確認する。

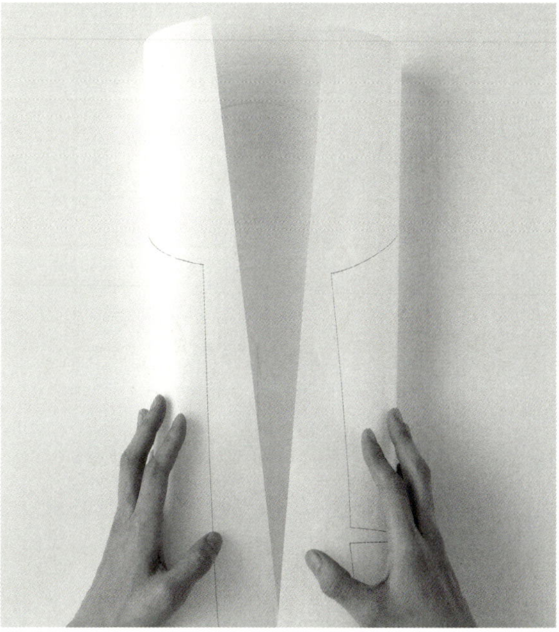

1 袖のパターンを袖下線で突合せになるように丸める。

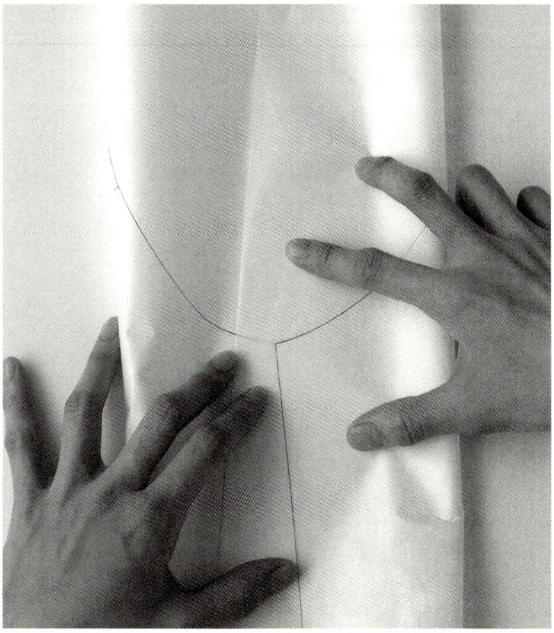

2 袖下線を合わせ、袖ぐり（袖底）、袖口の線のつながりを確認する。

ダーツ

縫い合わせる状態に線を突き合わせて確認する。
ダーツやタックは、パターンを折りたたんで確認してもいい（p.32を参照）。

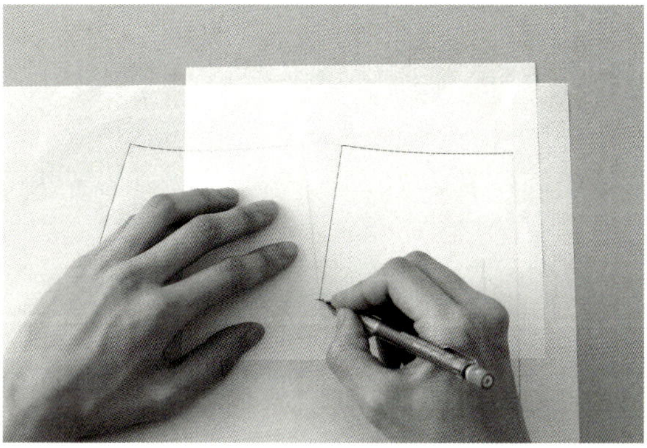

1 ウエストのダーツ部分が入る紙を別に用意し、ウエストラインから中心側のダーツポイントまでを写しとる。

2 ダーツポイントをペンで押さえ、写しとったダーツ線の紙を回転させて脇側のダーツ線に合わせ、ウエストラインのつながりを確認する。

24　パターン作り

袖山と袖ぐり

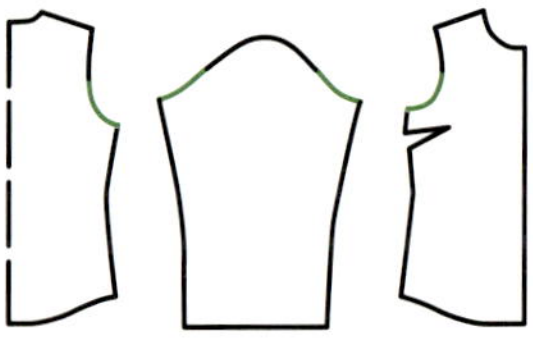

重ね合わせて確認できないような曲線は、定規やメジャーを使ってはかる。

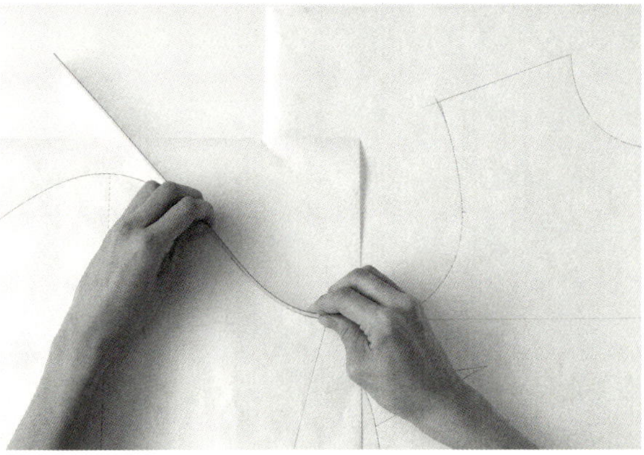

身頃の袖ぐりの脇から合い印まで、袖山の袖底から合い印までのそれぞれの距離をはかる。

曲線のはかり方

曲線の寸法は、カーブに沿って紙面と直角に接するように方眼定規やメジャーを立ててはかる。

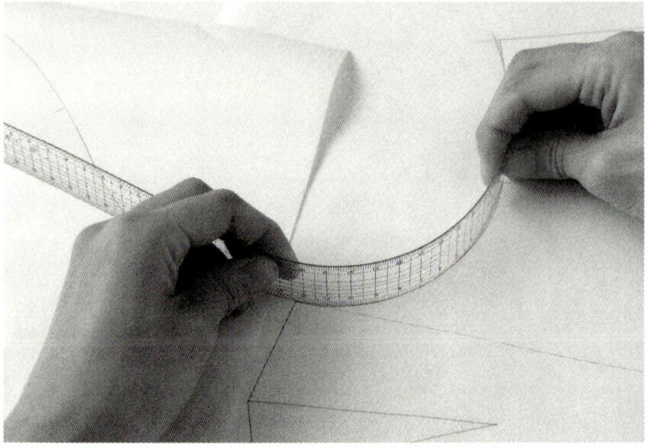

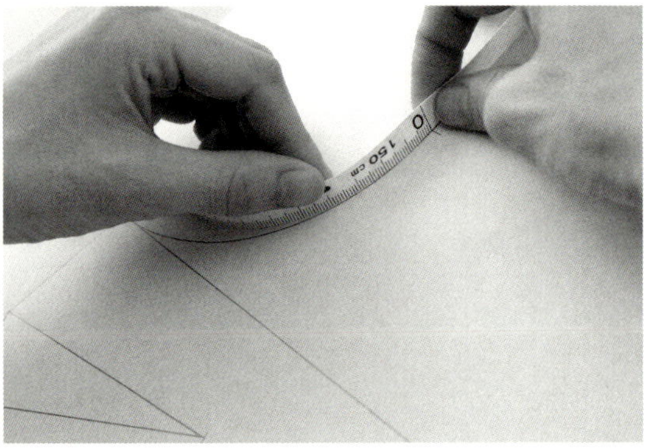

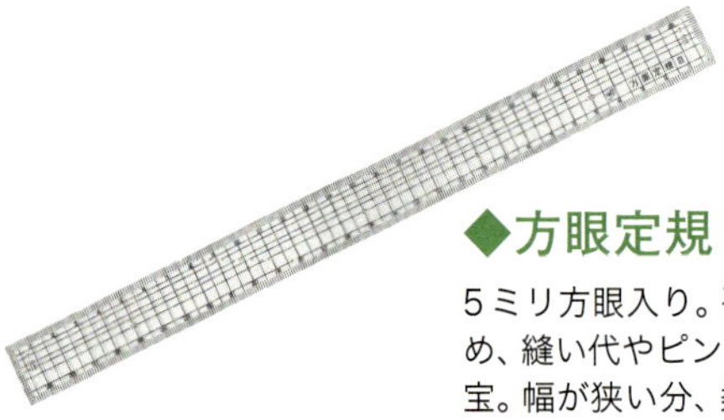

◆**方眼定規（2.5×30cm）**

5ミリ方眼入り。平行・直角線をはじめ、縫い代やピンタックの印つけに重宝。幅が狭い分、柔らかく曲げてはかることができる。

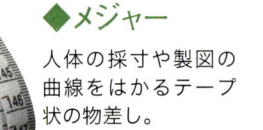

◆**メジャー**

人体の採寸や製図の曲線をはかるテープ状の物差し。

パターンチェック

パターン作り　25

曲線や長い距離をきれいに縫い合わせるために

地の目がバイアスに近くなる場合や、縫い合わせる寸法が長い場合は、
合い印をつけて縫いずれるのを防ぐ。

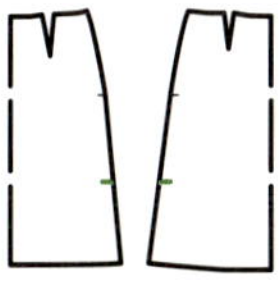

スカートの脇線

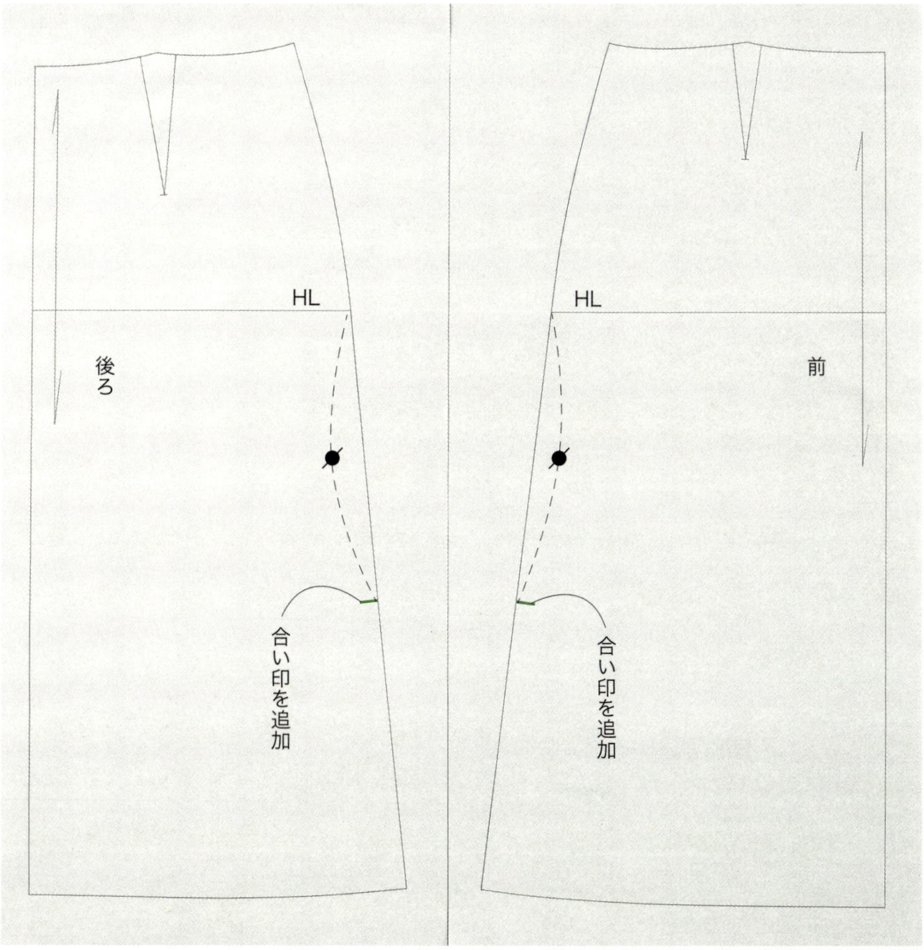

HL

後ろ

合い印を追加

HL

前

合い印を追加

長く縫い合わせる線の中間くらいに、新たな合い印を入れる。

衿と衿ぐり

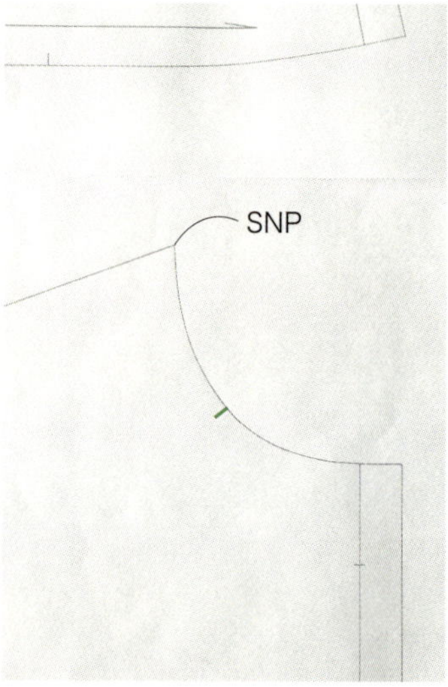

1 身頃の前中心とSNPの中間くらいに新たな合い印を入れる。

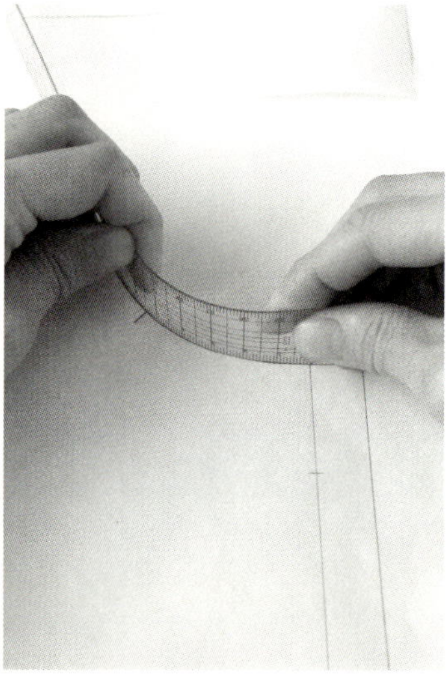

2 前中心から新たな合い印までの寸法をp.25の[曲線のはかり方]の要領ではかる。

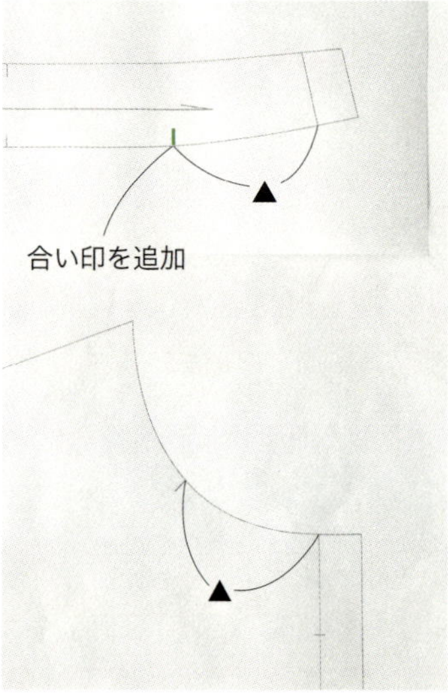

3 衿パターンの前中心から同寸法（▲）の位置に新たな合い印を入れる。

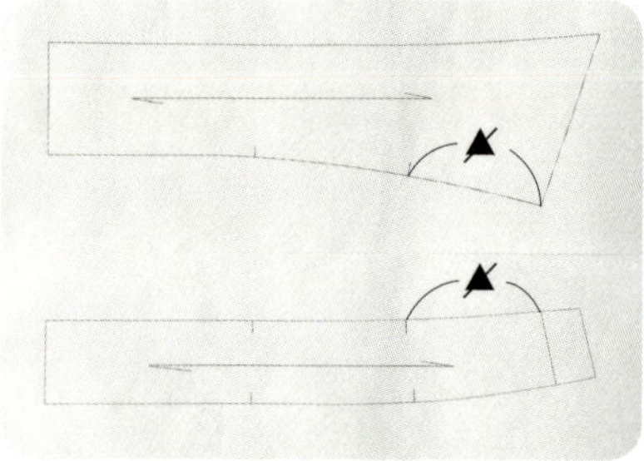

上衿も同様に合い印を入れる。パターンのでき上り。

衿のパターンに合い印を追加して縫いずれを防いだ場合。左右のバランスが整っている。

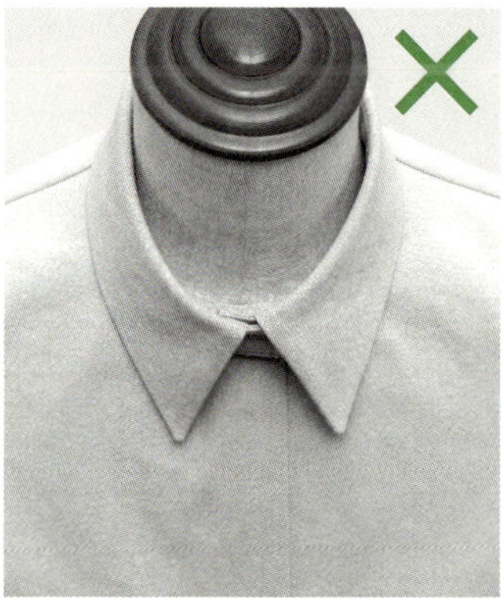

衿のパターンに合い印を追加しないで縫いずれてしまった場合。衿つけがゆがんで見える。

パターン作り　27

縫い代をつける

正確に裁断するために、縫い代をつけたパターンを作る。
でき上り線の印つけなど裁断後の作業も少なくなる。

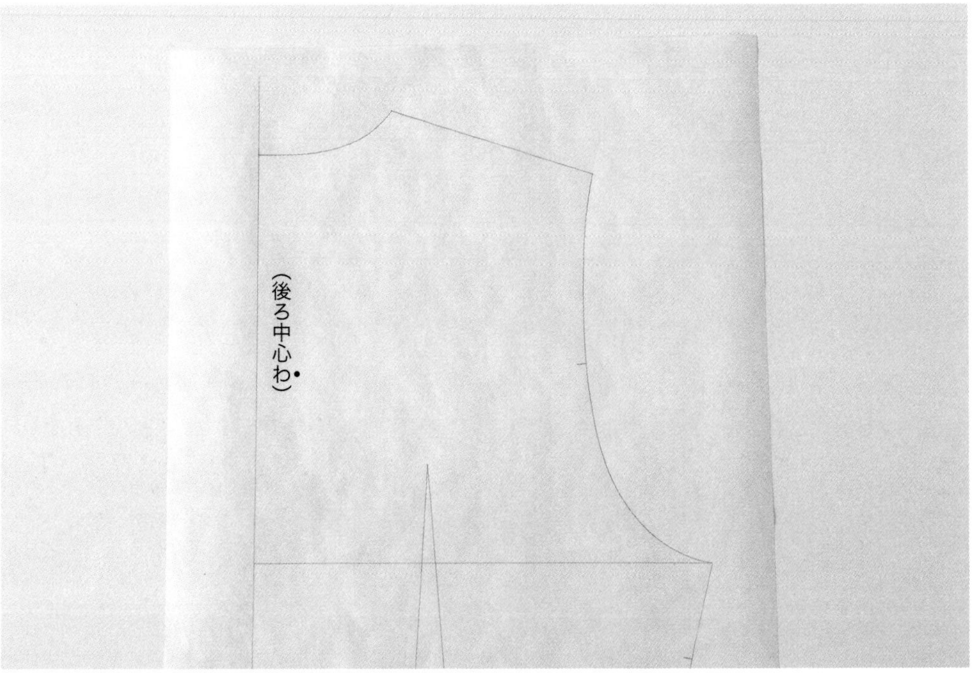

（後ろ中心わ）

縫い代をつける前の後ろ身頃のパターン

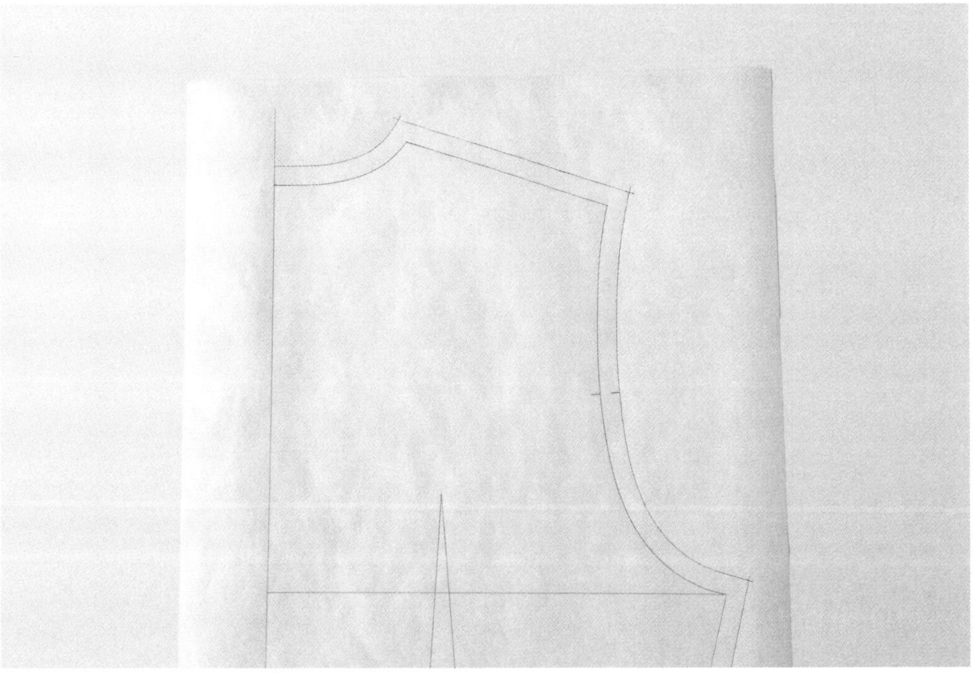

わ裁ちの後ろ中心以外に縫い代をつけ終わったパターン

28 パターン作り

曲線に縫い代をつける

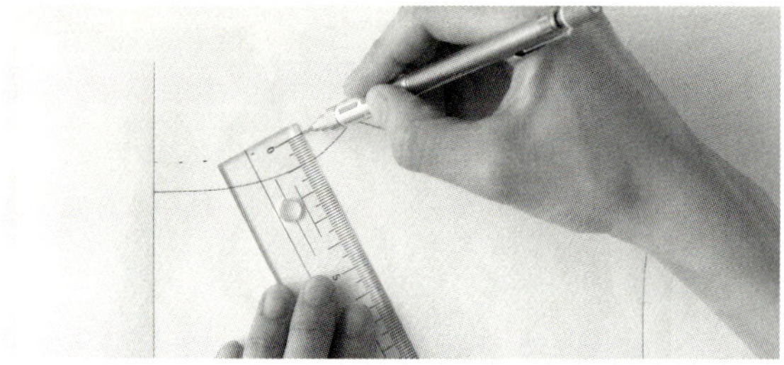

1 パターンのでき上り線から縫い代幅の寸法を細かくしるす。

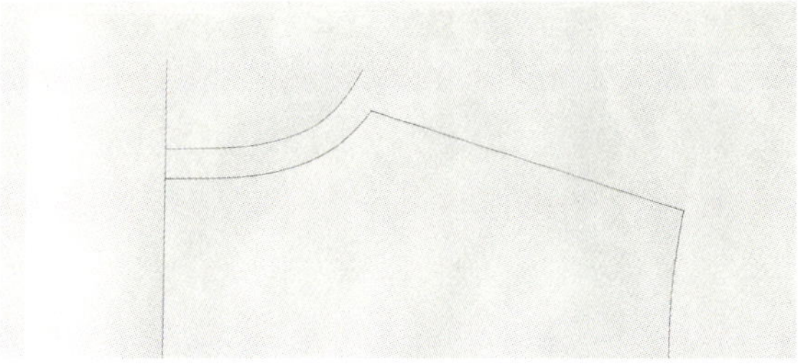

2 印の位置をつなぎ合わせて縫い代線を引く。

方眼定規を使う場合

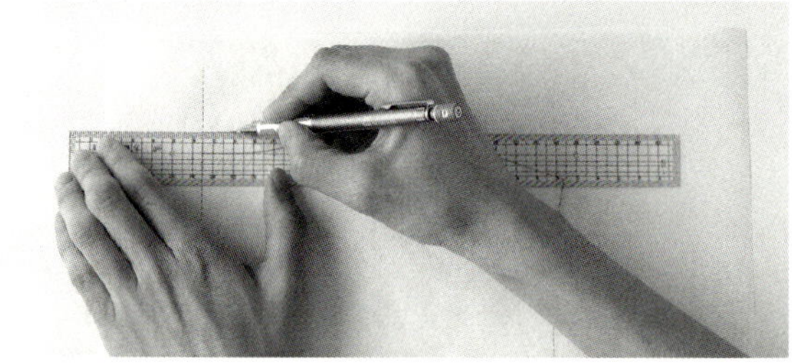

1 直線的な部分は、定規の方眼を縫い代幅の寸法に合わせて引く。

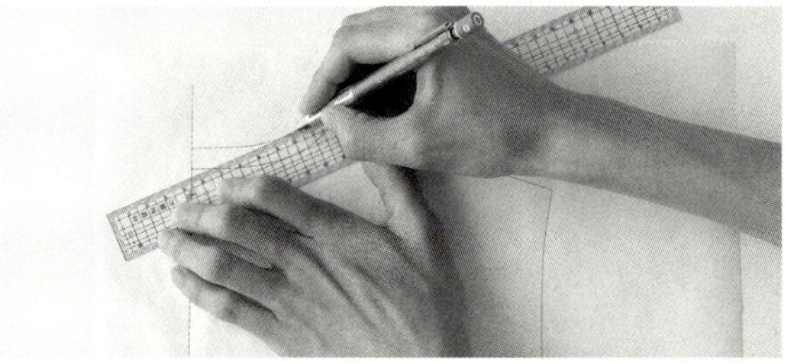

2 曲線の部分は、定規の方眼を縫い代幅に保ったまま、定規を少しずつずらして引く。

直線に縫い代をつける

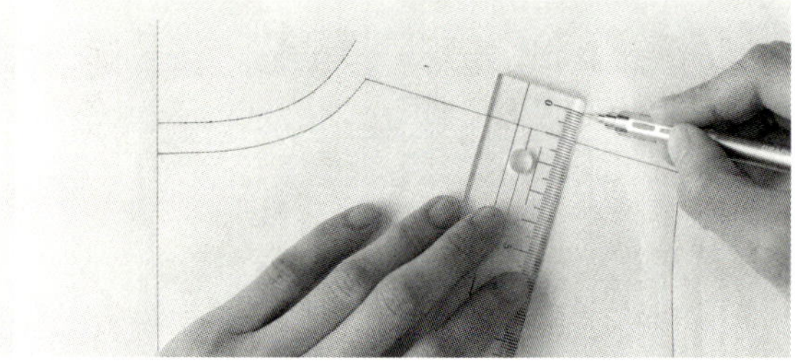

1 パターンのでき上り線から縫い代幅の寸法をしるす。

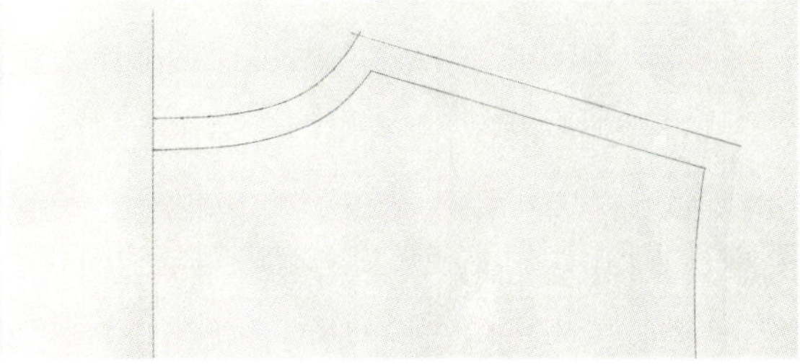

2 印の位置を直線で結ぶ。

方眼定規を使う場合

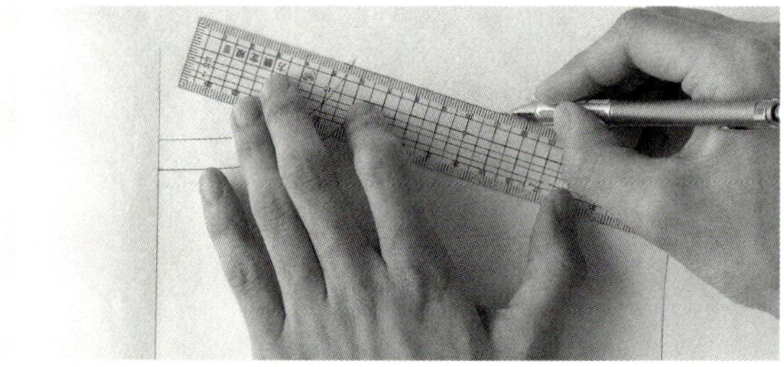

定規の方眼を縫い代幅の寸法に合わせて引く。

パターン作り　29

方眼定規の使い方

定規の中に、細かく入っている寸法を利用すると、正確に線を引くことができる。

◎平行線

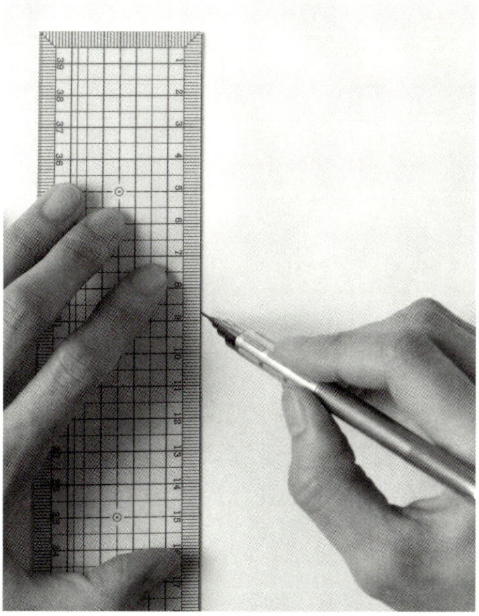

1 基本の線を引く。

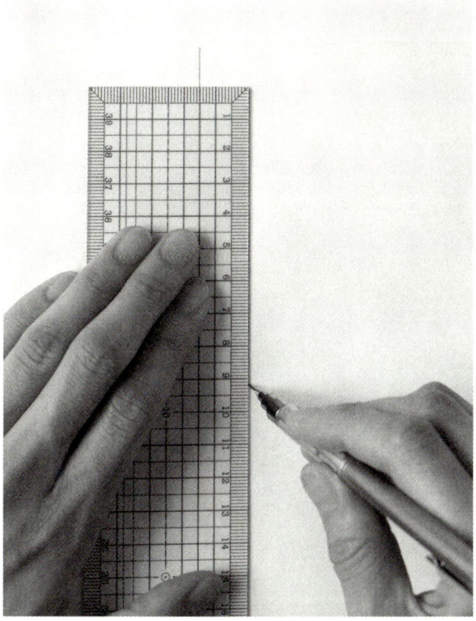

2 基本の直線に、定規の方眼の目盛りを平行に引きたい幅に合わせて線を引く。

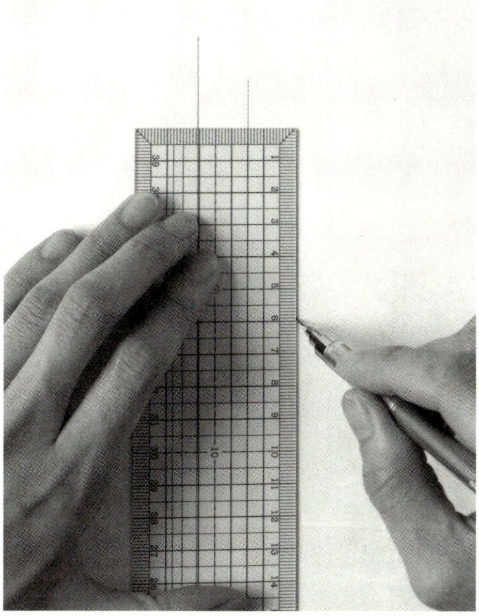

3 2の要領で3本目の直線を引く。

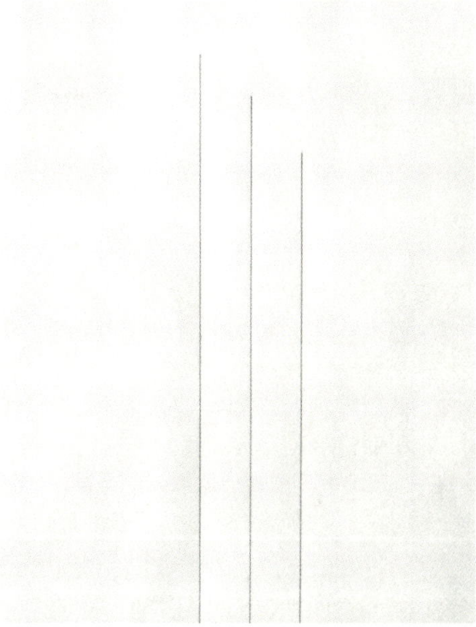

4 平行線のでき上り。

◎垂直線（90°）

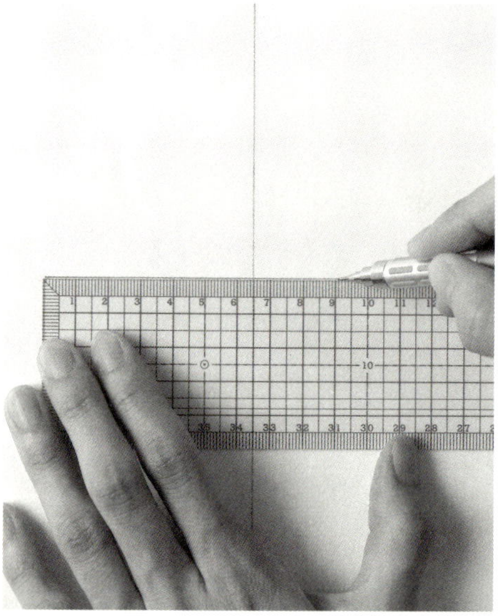

1 基本になる直線と垂直に交わるように定規の方眼を合わせる。

2 垂直線のでき上り。

◎バイアス線（45°）

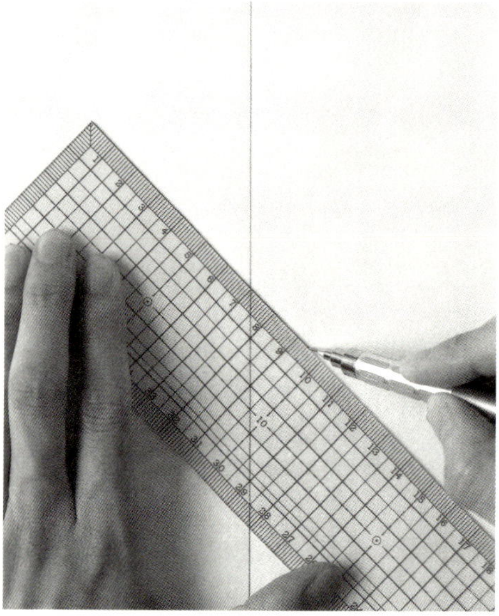

1 基本になる直線と45°に交わるように定規の方眼の交点を合わせる。

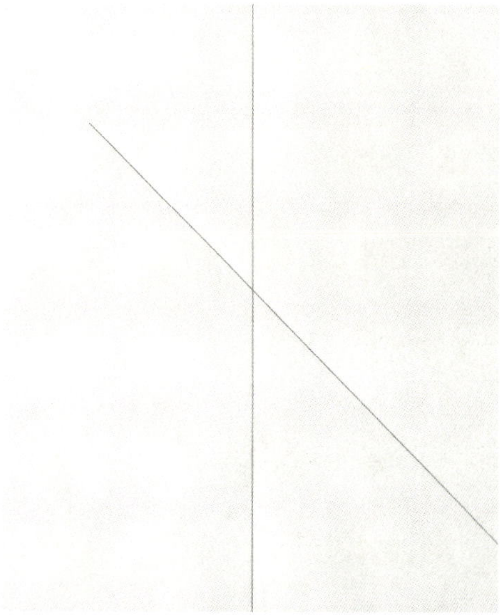

2 バイアス線のでき上り。

縫い代をつける

パターン作り　31

注意したい縫い代つけ

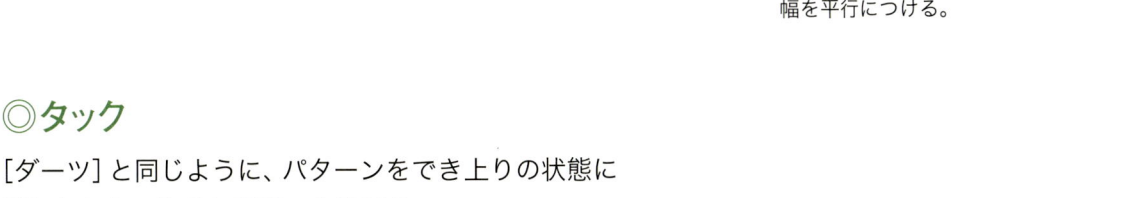

縫い合わせる線に角度がある場合など、縫い代のつけ方が変わる。

◎ダーツ

パターンを折りたたんで縫い代をつける。

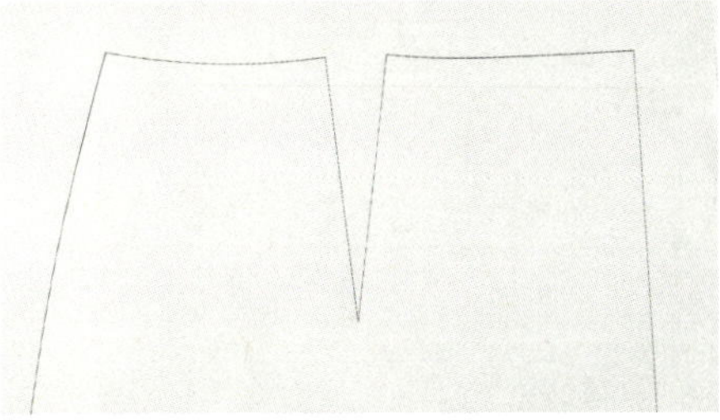

縫い代をつけるパターン

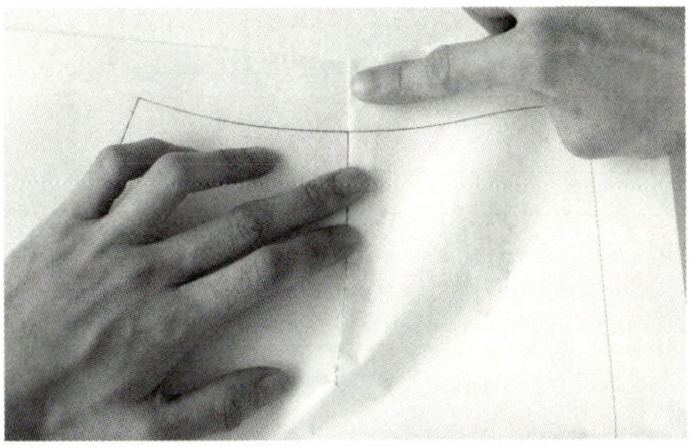

1 ダーツを縫い合わせる状態に折りたたむ。

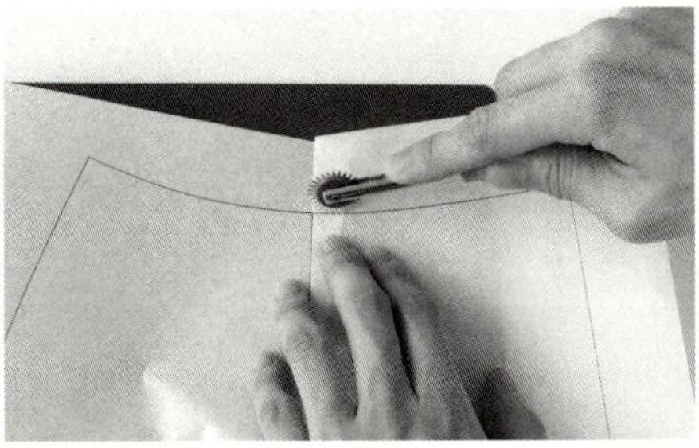

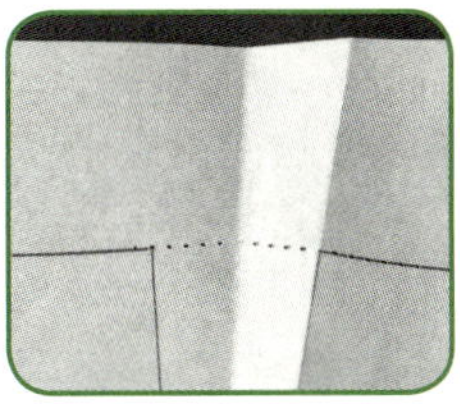

2 たたんだ状態のままウエストラインに沿ってルレットでしるす。

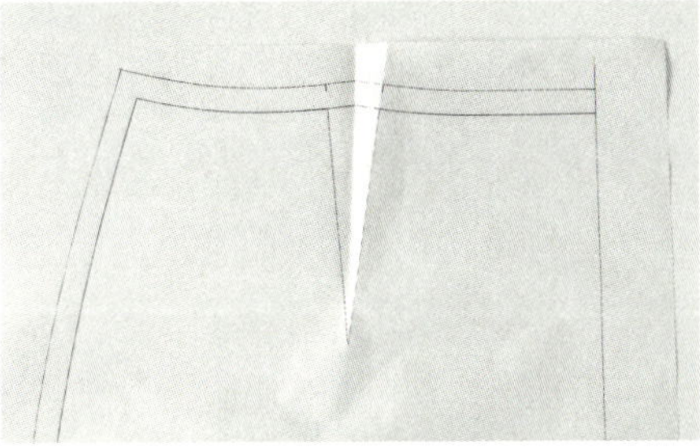

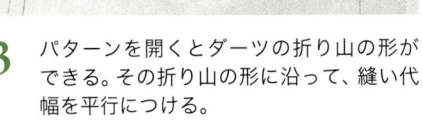

3 パターンを開くとダーツの折り山の形ができる。その折り山の形に沿って、縫い代幅を平行につける。

◎タック

[ダーツ]と同じように、パターンをでき上りの状態に折りたたんでみると間違いを防げる。

片倒しの場合

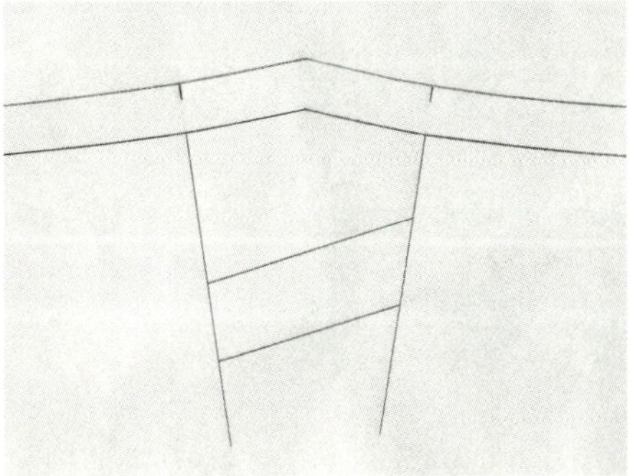

突合せの場合

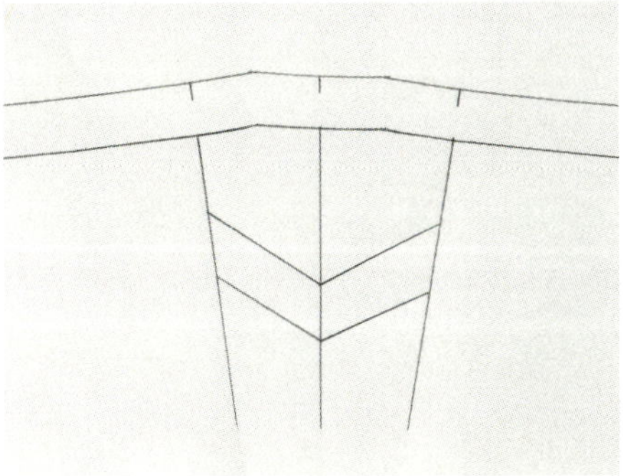

32　パターン作り

◎前あきの衿ぐり ※縫い代を三つ折りで始末する場合。

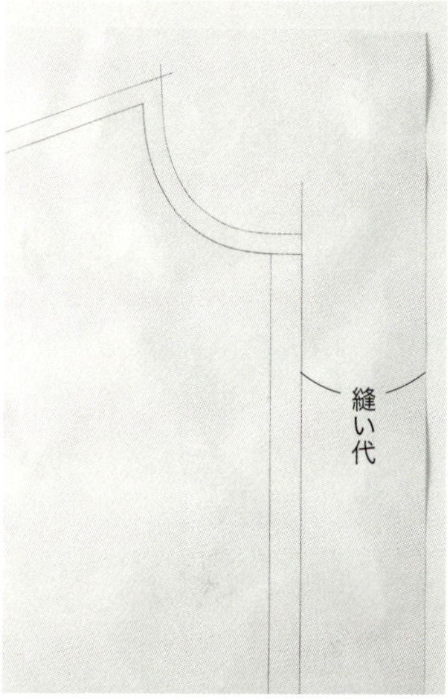

1 パターンの前端に縫い代分をつけてカットする。

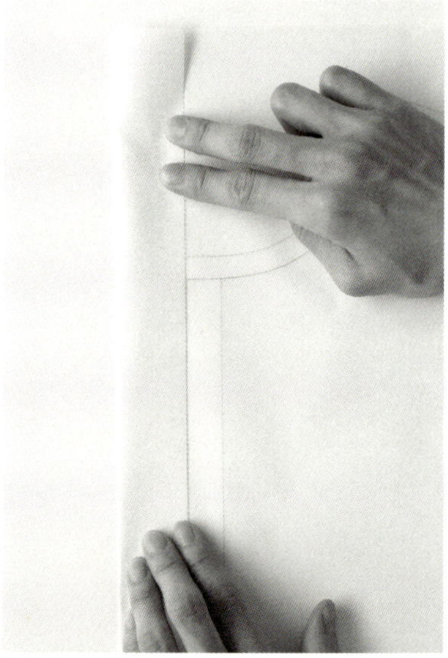

2 でき上りの状態に三つ折りする。

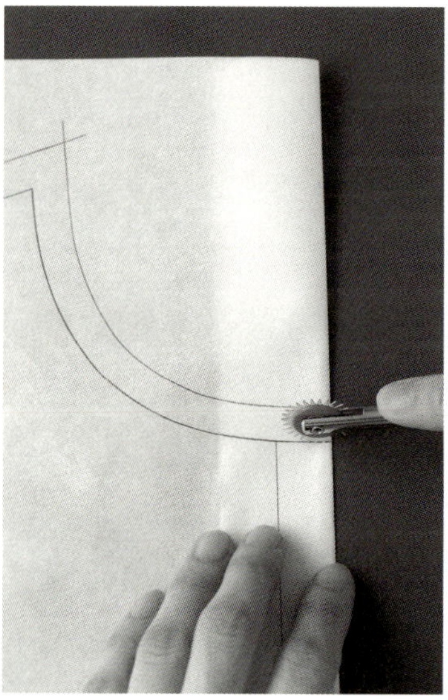

3 衿ぐり部分をルレットでしるす。

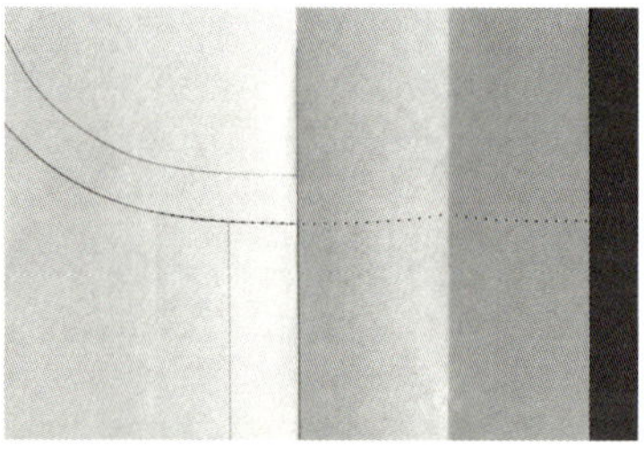

4 三つ折りを開く。

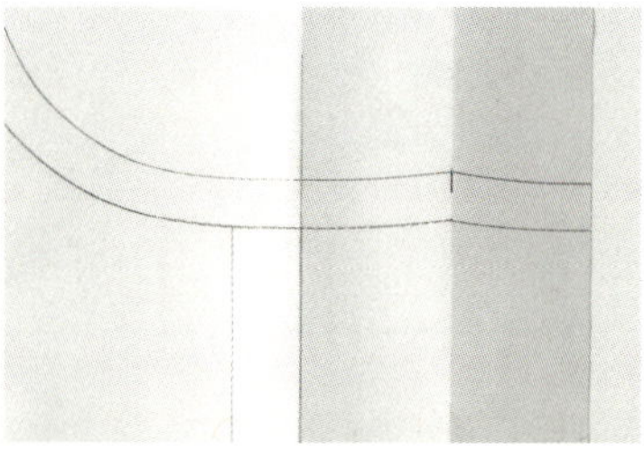

5 ルレットに沿って線を引き、縫い代幅を平行につける。

縫い代をつける

パターン作り　33

◎パネルラインの袖ぐり

倒し方で縫い代が不足する場合があるので、一重仕立てにする時は特に気をつける。
袖口や裾など鈍角になる折り代も同様に。

1 でき上り線に平行に縫い代をつける。

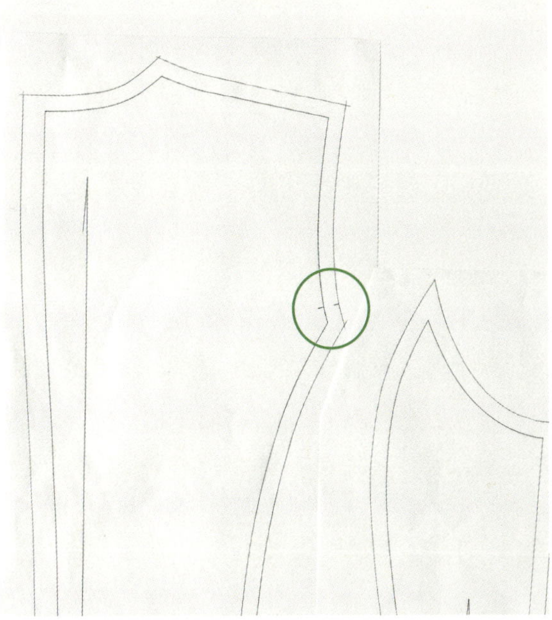

2 片返しにする袖ぐりの縫い代に注意。

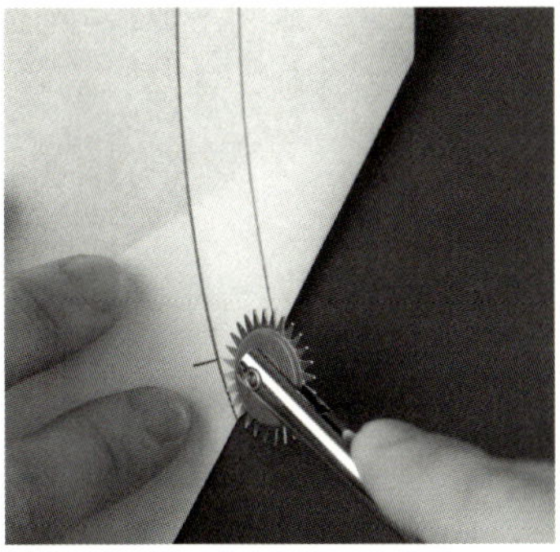

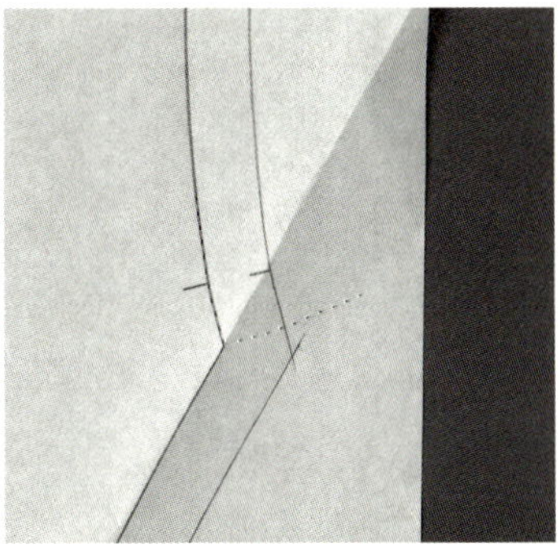

3 パネルラインの縫い代を折り、ルレットでしるす。

4 ルレットに沿って縫い代をつけ直す。

34 パターン作り

パターンをカットする

縫い代をつけ終えたらカットする。
はさみ、カッターの刃は紙に垂直に。

◎はさみでカットする

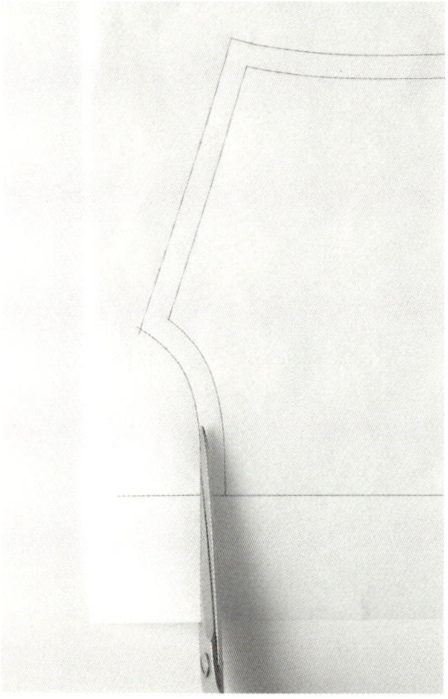

◎カッターでカットする

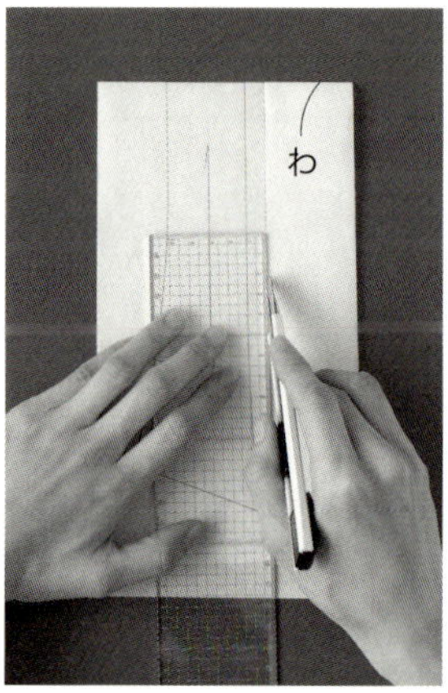

小さなパターンのわ裁ち
は寸法が狂いやすいの
で、衿などはあらかじめ
わのところで二つ折りに
してカットしたパターン
を作る。

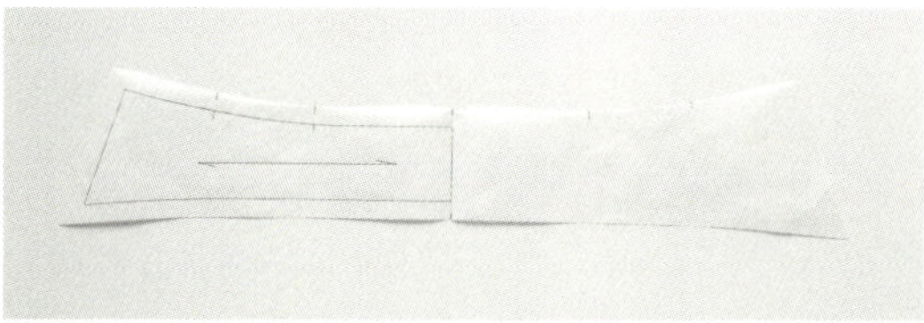

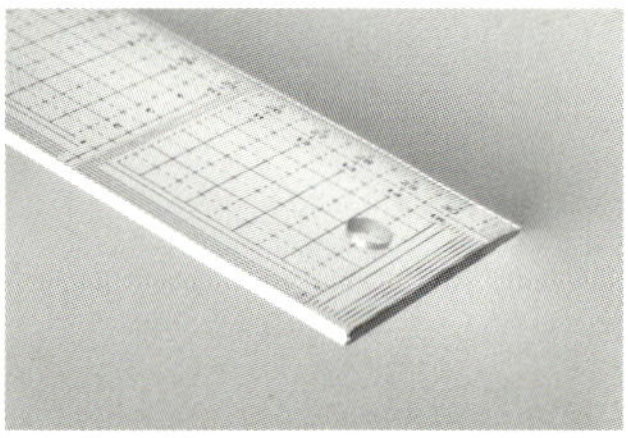

◆**紙切りばさみ**

紙専用のはさみ。布地を切るはさ
みとは分けて使う。

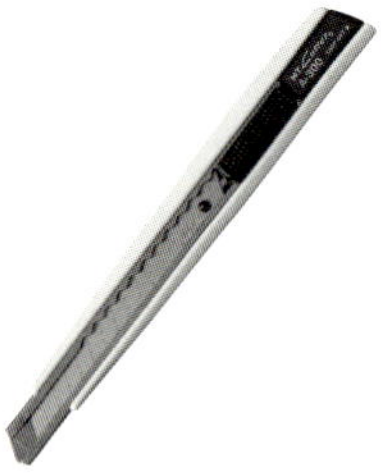

◆**カッター**

物を切ったり削ったりする道具。
替え刃式の繰出しナイフのこと。

◆**カッター定規**

カッターでの作業時に刃が当たる
端面にステンレス板がついたも
の。端面に傷がつくのを防ぐ。

縫い代をつける

パターン作り　35

縫い代つけにあると便利

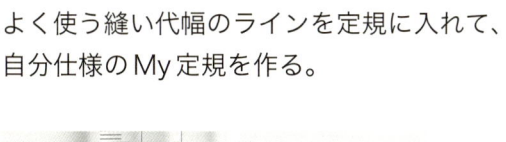

よく使う縫い代幅のラインを定規に入れて、
自分仕様のMy定規を作る。

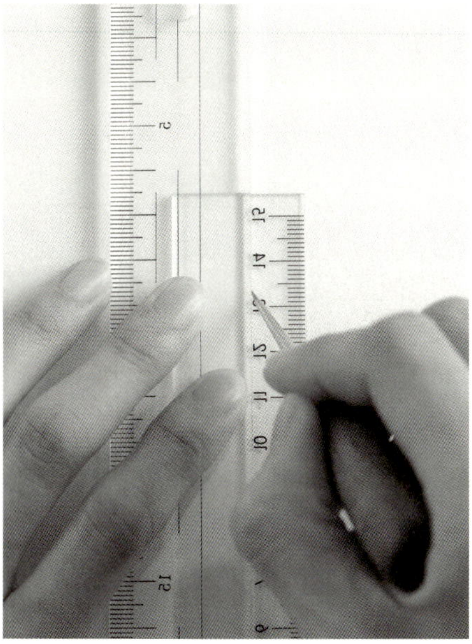

1 普通の定規の裏側に、目打ちを使って細い溝をつける。

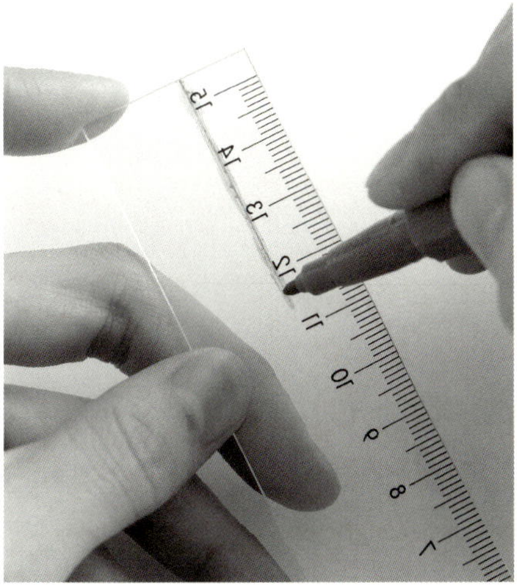

2 水性ペンで溝の上を書いて、色をつける。

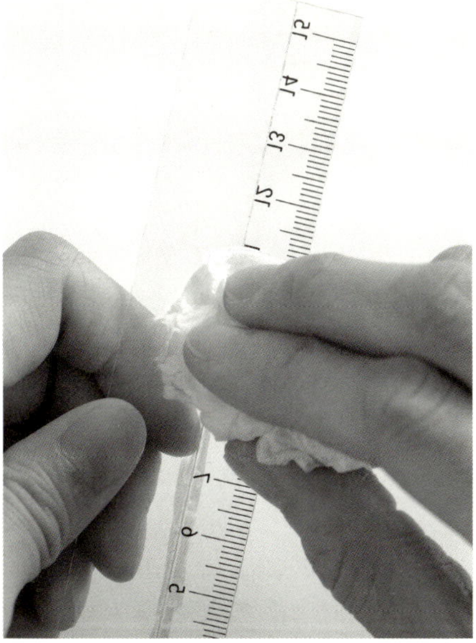

3 はみ出した水性ペンはふき取る。

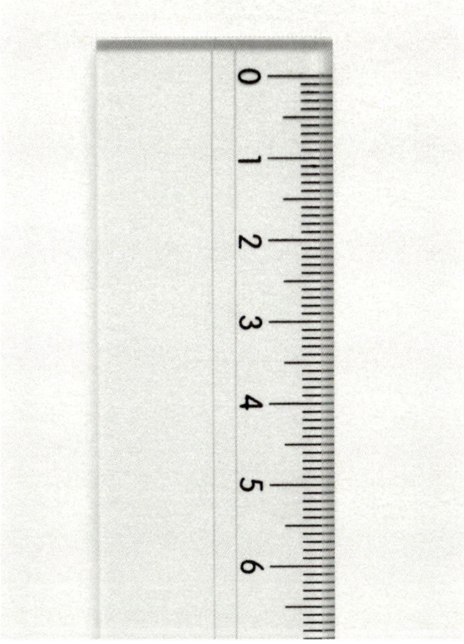

4 My定規のでき上り。

裁断

裁断（カッティング）とは、布地を裁ち切ること。

正確に裁断することは仕立てにも通じる、縫製前の大切な準備です。

使う布地によって裁合せに気をつけましょう。

柄地にはデザインを楽しめる要素もあります。

きれいに裁断できると、縫うときの気分もいいものです……。

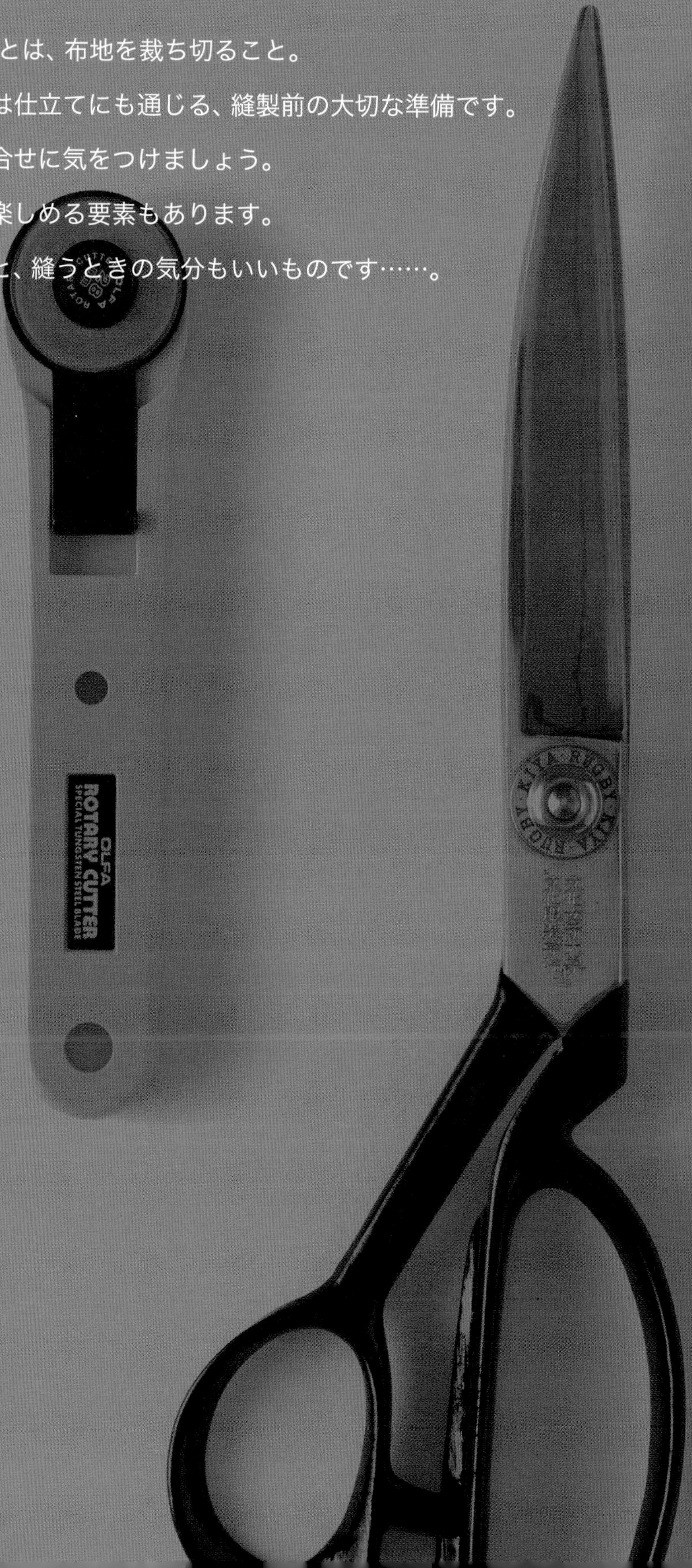

用具

地直し

布地の重ね方

裁合せ

布地の柄と方向性

布地を裁つ

接着芯を裁つ

印つけ

用具

裁断に必要なものと便利なもの。

1 カッターボード
2 裁ちばさみ (p.56)
3 ロータリーカッター (p.59)
4 まち針・ピンクッション
5 重し
6 目打ち
7 ソフトルレット (p.64)
8 ルレット (p.64)
9 チョークペンシル
10 三角チョーク (p.57)
11 両面チョークペーパー
12 片面チョークペーパー

地直し

布地の縦横の織り糸が水平垂直になっていない場合は、裁つ前に地の目を整える。
布地がゆがんだまま裁断してしまうと、仕上がってから形くずれの原因にもなるので
アイロンできちんと整えておく。

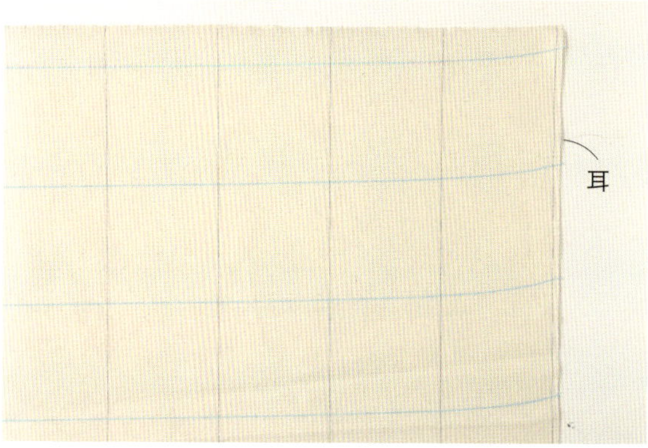

1 耳に向かってよこの織り糸がゆがんでいる状態。

2 ゆがみの傾斜と逆方向に引っ張りながら、ある程度手で直す。

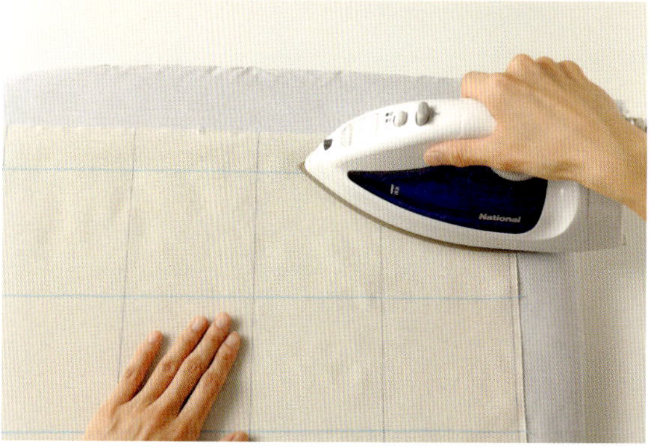

3 アイロンをかけて、落ち着かせる。

4 地の目が整った状態。

裁断　**39**

布地の重ね方

左右対称のパターンの場合は、布地を重ねて裁断する。

布地を合わせる

◎外表

布地の表を外側に、裏と裏を合わせて重ねること。

裏

表

◎中表

布地の表を内側に、表と表を合わせて重ねること。

表

裏

布地を二つ折りにして重ねる

◎幅の二つ折り

左右の耳を合わせて二つに折る。

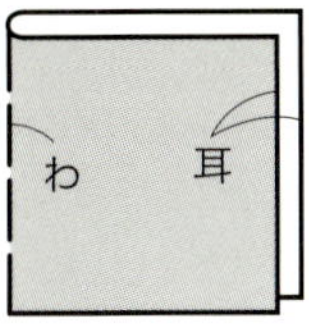

わ　耳

◎丈の二つ折り

左右の耳をそれぞれ合わせて二つに折る。

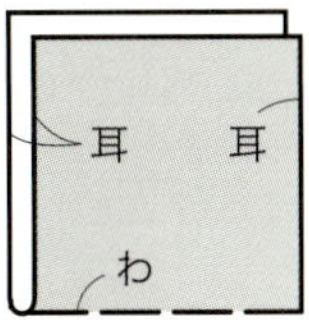

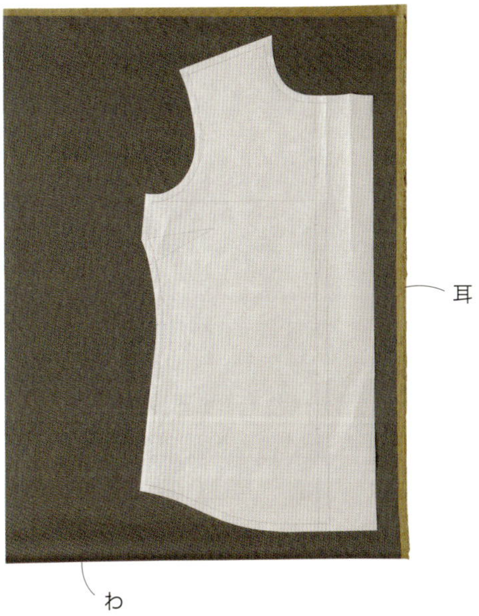

耳　耳

わ

わ

耳

耳

わ

40　裁断

布地を重ねるときの注意

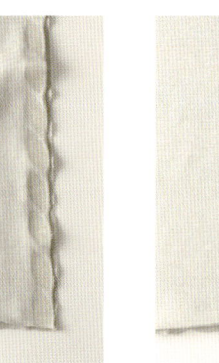

布地を裁つときは、しわなどが寄らないように平らな状態にする。
重ねて裁つときは布地がずれないよう、2枚を同じ状態に整える。特にニットは気をつける。

1 布地を2枚重ねたときに出るしわ。

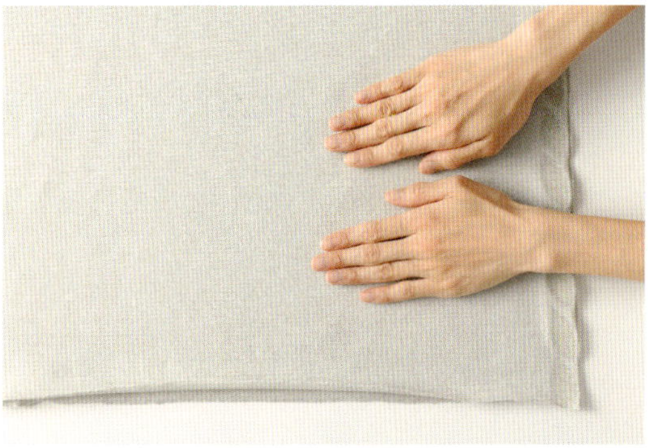

2 手で押さえるようにして、平らに整える。

3 整った状態。

布地をなでるようにすると……。
上側の布地だけが平らになり裁断にずれが生じてしまうことも。

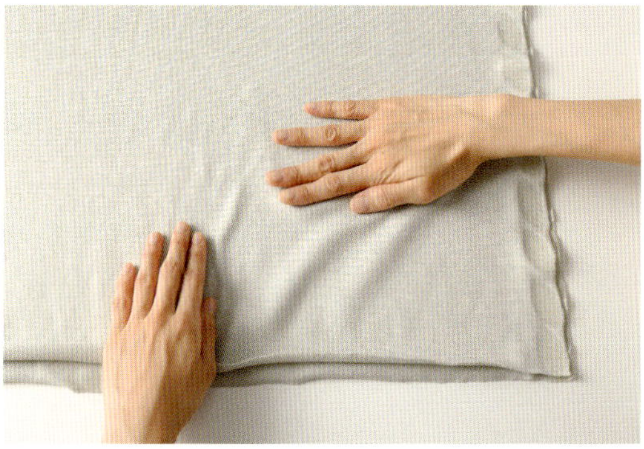

布地の重ね方

裁断 41

裁合せ

裁ち間違えのないように、布地の無駄がないように、裁つ前にパターンを配置して確認する。
使用する布地の生地幅がわかれば、購入する前に必要な用尺を知ることもできる。

裁合せ例

裁断はやり直しができないので、はさみを入れる前に必ず布地の上にパターンを置いて確認する。

◎パターンの上下をそろえて裁つ

シャツ（一枚裁ち）

布地を一枚に広げ、パターンの上下をそろえて配置。

スカート（重ね裁ち）

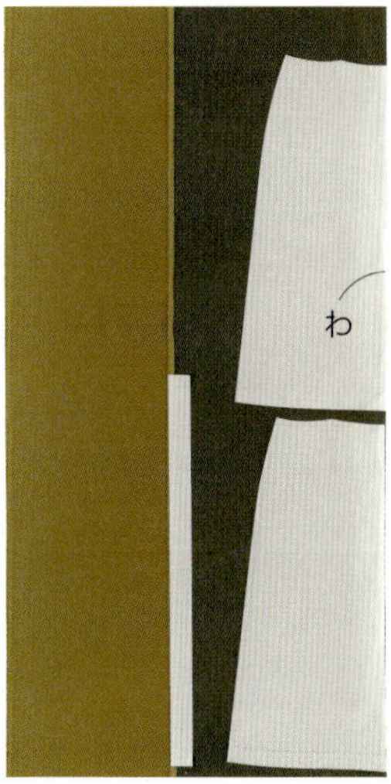

パターンが入る幅にずらして二つに折り、パターンの上下をそろえて配置。

パンツ（重ね裁ち）

生地幅で二つに折り、パターンの上下をそろえて配置。

Point: 面積の大きいパターンから配置していく。
前・後ろ身頃→袖→衿などの順。

◎パターンの上下をそろえずに裁つ（差込み） ※布地に方向性がない場合に限られる。

シャツ（一枚裁ち）

布地を一枚に広げ、パターンを差し込んで配置。

シャツ（重ね裁ち）

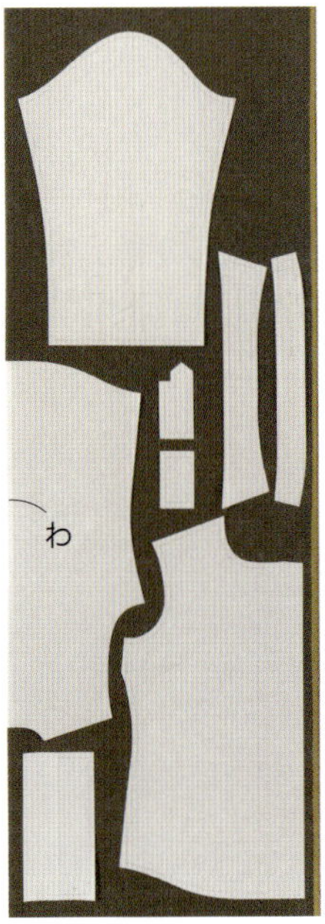

生地幅で二つに折り、
パターンを差し込んで
配置。

わ

パンツ（重ね裁ち）

わ

スカート（重ね裁ち）

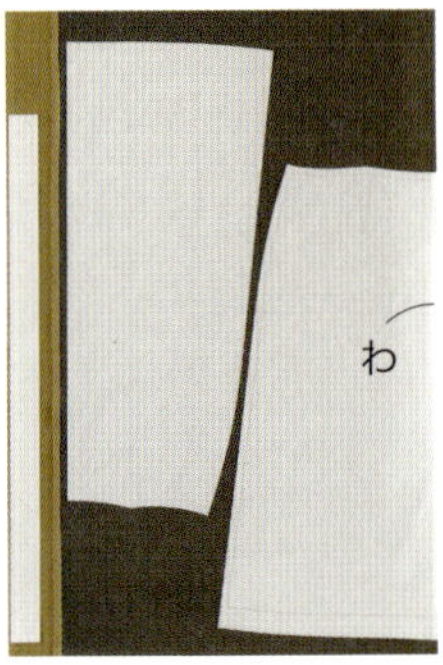

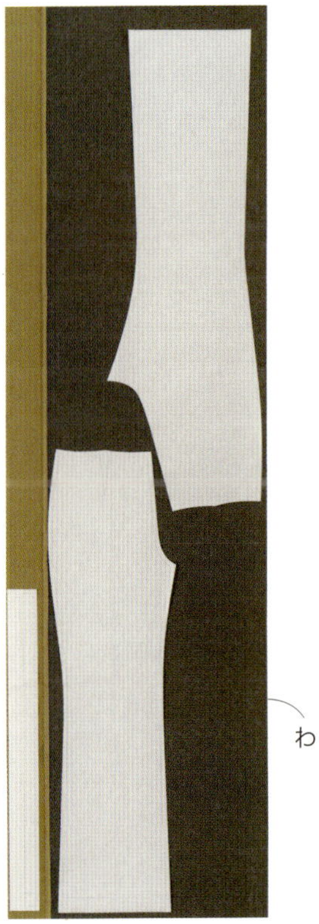

わ

布地をベルト分ずらし
て二つに折り、パター
ンを差し込んで配置。

布地をベルト分ずらして
二つに折り、パターンを
差し込んで配置。

裁合せ

裁断　43

布地の柄と方向性

大柄、柄が一方向、表面に毛並みや光沢のある布地は
パターンの上下を必ず同一方向にそろえて裁断をする。

大柄

大きな柄の場合は、でき上りの柄がくずれないように模様を合わせて裁断する。

ストライプ・ボーダー柄

縦縞、横縞は地の目がゆがむと目立つので特に注意する。
一方性がある場合は差込みはできない。

一方性のあるストライプ

柄行きのあるボーダー

いくつかの縞で1つの柄になっているもの
もある。

チェック柄

大きめのチェックは、柄がずれると目立つので格子をそろえて裁断する。
柄に一方性がある場合は差込みはできない。

一方性のあるチェック

毛足のある布地

毛足のある布地は光沢があり、その方向によって色が違って見えるものが多いので、
パターンの上下を同一にして裁断する。布地を縦地になでてみて、
なめらかな方向を「並毛」、ざらっと逆う感じのある方向を「逆毛」という。
並毛の方向は白っぽく、逆毛の方向は濃く見える。

【コーデュロイ】

逆毛　並毛

【別珍】

逆毛　並毛

【ベロア】

逆毛　並毛

布地の柄と方向性

裁断　45

柄合せ例 ※シャツは前身頃脇にダーツがあるパターンを使用。

柄を合わせて重ね裁ちする場合は注意が必要。心配なときは一枚ずつ裁断する。

◎大柄

大きな柄の場合は目立つので、柄の出る位置を考えて裁ち合わせる。

Point: 柄の中心と身頃の中心線、左右の柄を合わせる。

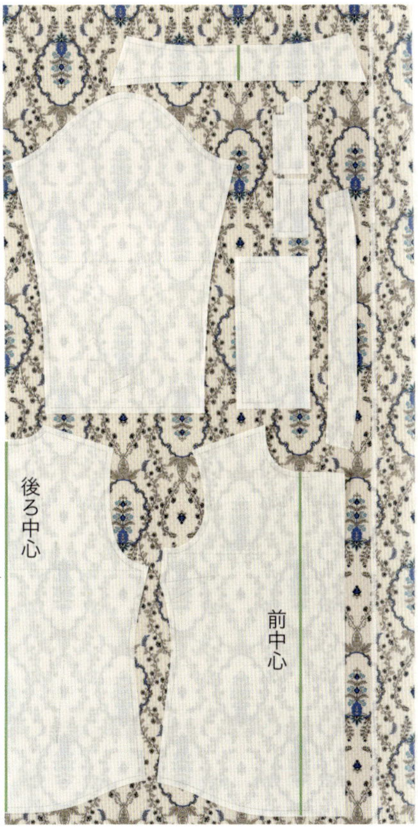

左右に同じ柄が出るように柄の中心をわに布地を二つ折りにする。上衿パターンは左右の衿先に同じ柄が出るようによこ地に配置。

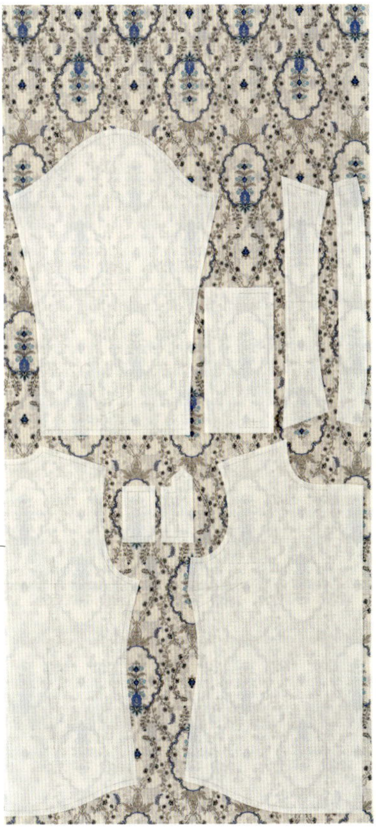

生地幅を二つ折りにしたため左右の柄が合わない。左右の衿先の柄が違う。

○

×

身頃の中心と
柄の中心が合っている。

左右の柄が同じ。

身頃の中心と
柄の中心がずれている。

左右の柄位置が違う。

布地の柄と方向性

全体的に
すっきりと見える。

柄位置に統一性がなく、
柄がうるさい。

裁断　47

◎チェック柄

大きいチェックは、脇線など縫い合わせたときに柄が段違いにならないよう
柄を合わせて裁ち合わせる。はっきりした配色の柄はデザイン的にも楽しむことができる。

Point: チェックの中心と身頃の中心線、縫い合わせる位置の柄をそろえる。

○

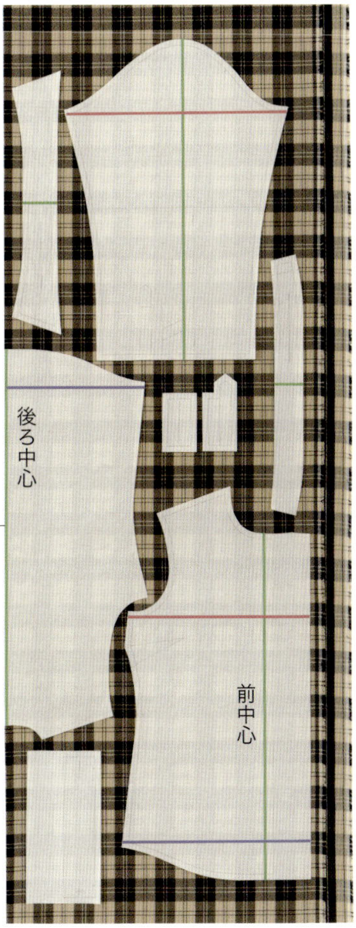

後ろ中心

柄の中心をわ

前中心

左右に同じチェックが出るように柄の
中心をわに布地を二つ折りする。縦の
柄の中心と身頃の中心線を合わせ、前
後身頃、袖の横の柄を合わせる。前脇
にダーツがあるので、横の柄は脇線の
裾で柄を合わせる。

✕

わ

二つ折りしたわの部分が柄の中心とず
れているので、後ろ中心の柄がずれて
左右の柄がそろわない。

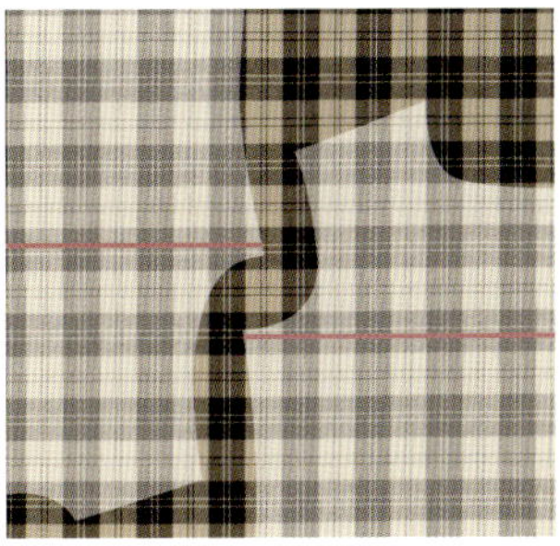

脇線にダーツがな
い場合は、袖底位
置で横の柄を合わ
せる。

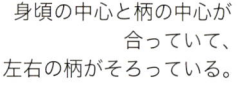

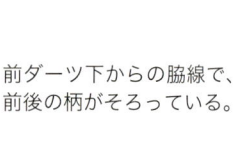

○

×

身頃の中心と柄の中心が
合っていて、
左右の柄がそろっている。

強い色の視覚効果で、
ウエスト位置が高く、
衿もとがすっきり見える。

左右カフスの
柄位置がそろっている。

身頃の中心と柄の中心が
ずれていて、前身頃の
左右の柄も合っていない。

全体的にバラバラで
締まりがない。

左右カフスの
柄位置が違う。

布地の柄と方向性

前ダーツ下からの脇線で、
前後の柄がそろっている。

前ダーツ下からの脇線で、
前後の柄がずれている。

裁断　49

◎一方性のあるストライプ

縞が一方に向かって並ぶストライプは、パターンの上下をそろえて裁ち合わせる。
差し込むと方向が変わってしまう。

○

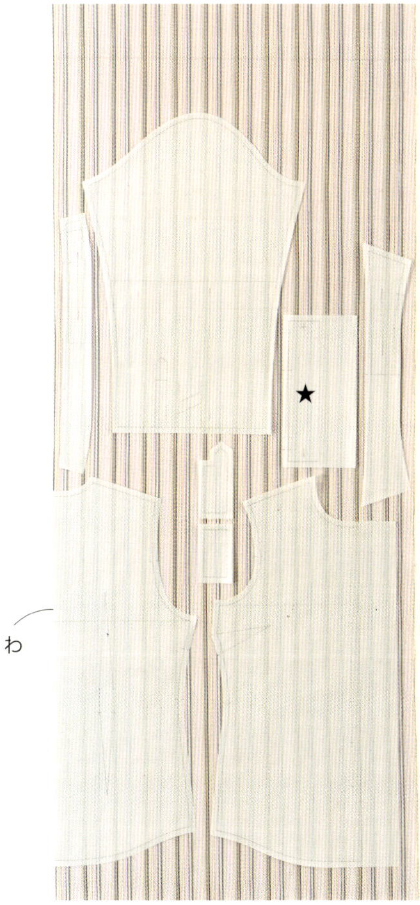

×

パターンの上下をそろえて配置してある。

★カフスは重ね裁ちせず、左右カフスの
柄位置を合わせて一枚ずつ裁断する。

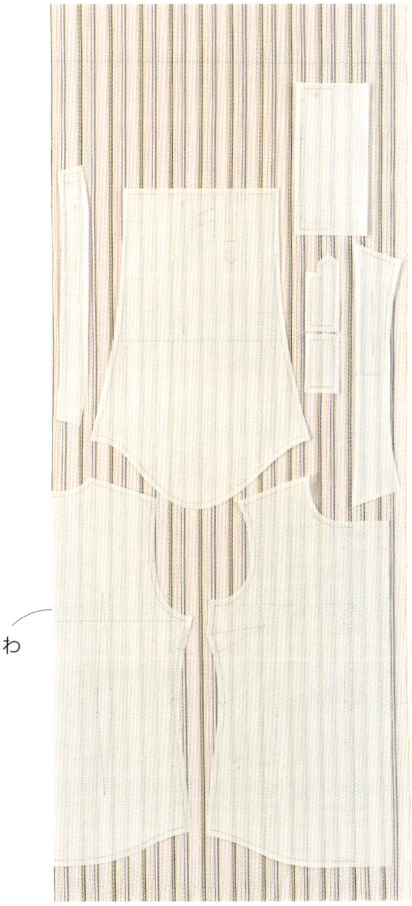

差し込んだ袖の、柄行きが逆になって
いる。

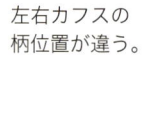

◯ ✕

左右カフスの
柄位置が同じ。

左右カフスの
柄位置が違う。

布地の柄と方向性

身頃と袖の柄方向が
そろっている。

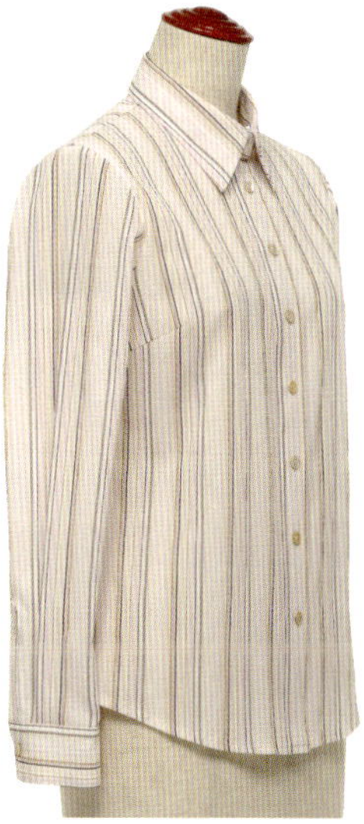

身頃と袖の柄方向が
異なっている。

裁断　51

◎一方性のあるチェック

柄行きに方向があるチェックは、パターンの上下をそろえて裁ち合わせる。
縫い合わせる位置の柄を合わせるとすっきりした印象に。
また、布地の表裏がわかりにくいものもあるので、縫うときに間違えないように。

○

わ

×

わ

パターンの上下がそろい、縫い合わせる位置で柄が続くように合わせて配置してある。

要尺をつめるために差し込んだ後ろスカートの柄行きが逆になっている。

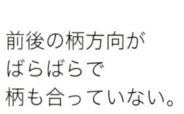

◯ ✕

柄の方向が
そろっていて
切替え位置の
柄も合っている。

中段のパーツを
逆さまに
縫い合わせてしまい
柄方向が異なっている。

前後の柄も
そろっている。

前後の柄方向が
ばらばらで
柄も合っていない。

布地の柄と方向性

裁断　53

◎別珍

毛足のある布地は、並毛か逆毛のどちらかに統一する。
別珍は逆毛で裁ち合わせることが多い。

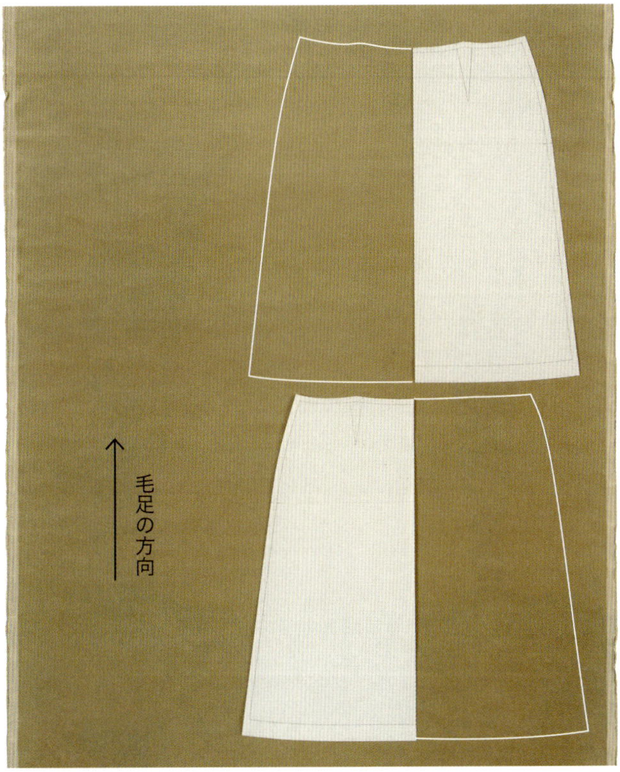

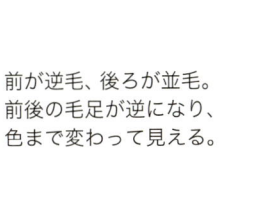

毛足の方向

パターンを同方向に配置し、一枚ずつ裁つ。

後ろ中心にはぎを作り、差し込め
ば用尺は少なくなるが、前後の毛
足が違ってしまう。

わ

前後の毛足が
そろっている。

前が逆毛、後ろが並毛。
前後の毛足が逆になり、
色まで変わって見える。

毛足の長い布地を裁つときは

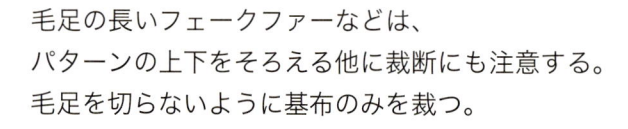

毛足の長いフェークファーなどは、
パターンの上下をそろえる他に裁断にも注意する。
毛足を切らないように基布のみを裁つ。

1 裏側に裁切り線をしるす。

2 はさみの先を使い、少し浮かせるようにして基布をカットしていく。

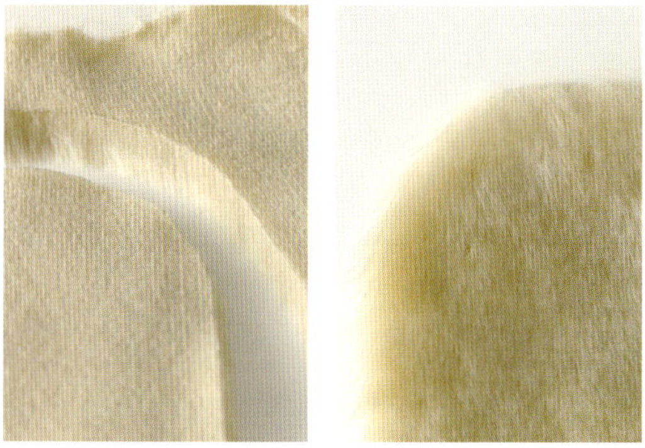

毛足まで一緒にカットしてしまうと……。 ✕

3 裁ちくずが少なく、毛足もきれいに残っている。

裁ちくずも多く、カットした部分の毛足がまばら。

布地の柄と方向性

裏起毛の布地を裁つときも

布地の裏面に毛足があるスウェット地なども、パターンの上下を
そろえて裁つといい。着心地にかかわる見えないポイント。

裏毛パイルにも
方向性がある。

裁断　55

布地を裁つ

縫い代つきパターンを使って裁断する。

裁ちばさみで裁断する

◎パターンをまち針でとめて裁つ

Point: まち針でとめられる範囲の布地に。厚地の裁断には適さない。

1 布地とパターンの地の目を合わせ、まち針でとめる。

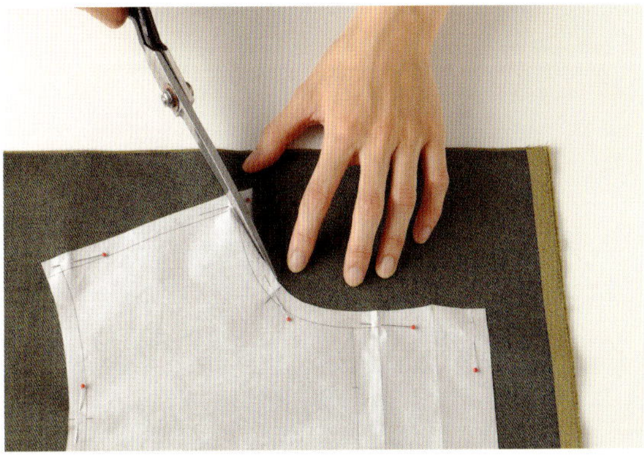

2 パターンの際を裁ちばさみでカットしていく。

3 裁ちばさみは作業台から離さないよう、なるべく布地を浮かせないようにする。

◆裁ちばさみ

ラシャ切りばさみともいい、布地専用のはさみ。22〜24cmの大きさが一般的。紙を切るはさみとは分けて使う。

◎裁切り線をしるして裁つ

厚地などパターンをまち針でとめると浮いてしまい平らな状態を保てないときは、
裁切り線をしるし、パターンを外して裁断する。

Point: 印つけは布の裏面に。中表にして裁ち合わせる。

1 パターンと布地の地の目を合わせて重しで固定し、裁切り線をチョークでしるす。

2 合い印なども印をつけたらパターンを外す。

3 布地がずれないように、裁切り線に近い位置をまち針でとめてから、はさみを入れる。

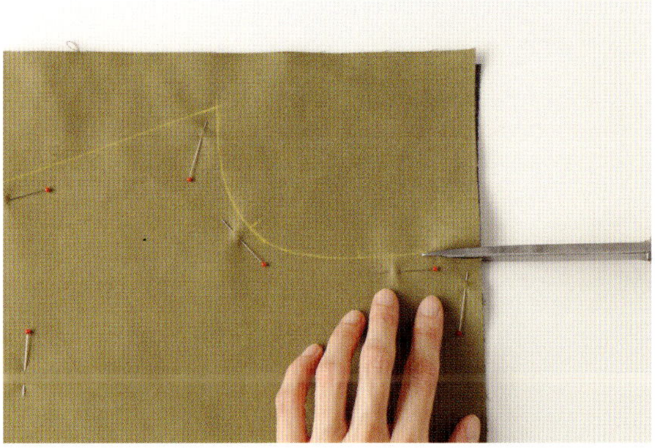

4 線の内側の際、印を裁ち落とすようにカットする。

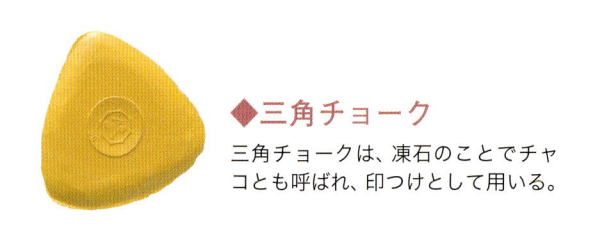

◆三角チョーク

三角チョークは、凍石のことでチャコとも呼ばれ、印つけとして用いる。

裁断　57

ロータリーカッターで裁断する

カッターでの裁断は、はさみのように布地が浮くことがないので、きれいに正確に裁つことができる。

1 パターンと布地の地の目を合わせる。

2 動かないように重しをのせる。直線は定規を当てると、きれいに裁てる。

3 曲線は少しずつ、パターンの際に沿ってカットしていく。

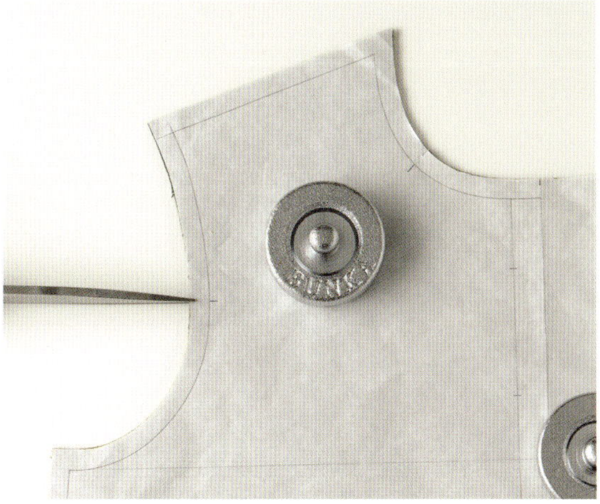

4 合い印には、ノッチを入れる。

【ノッチ】
縫い代に入れる小さな切込み（0.3〜0.4cmくらい）。

58　裁断

5 でき上り。

**◆ロータリーカッター
　＆替え刃**

小回りのきく直径28ミリ円形刃
を装着した回転しながら裁断す
るカッター。布地や紙をはじめ、
薄手のゴムシート、フィルムなど
の切りにくい素材も自在にカッ
トできる。

こんなときに……

ロータリーカッターは裁つときに布が浮かないので、
特に薄い布（オーガンディ、シフォン、裏地など）を重ねて裁断するときに最適。

パターンを重しで動かないようにしてからカットする。

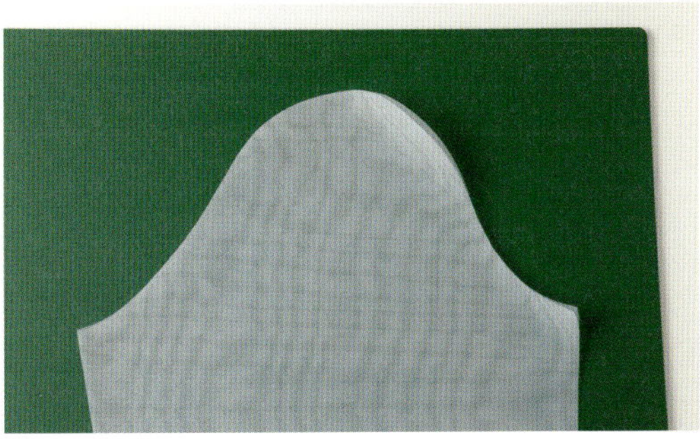

ずれずに、同寸法に、きれいに裁つことができる。

布地を裁つ

裁断　59

接着芯を裁つ

アイロン接着芯は、裁断してから張る場合と張ってから裁断する場合がある。

部分芯

◎芯地のパターンを作って裁断する

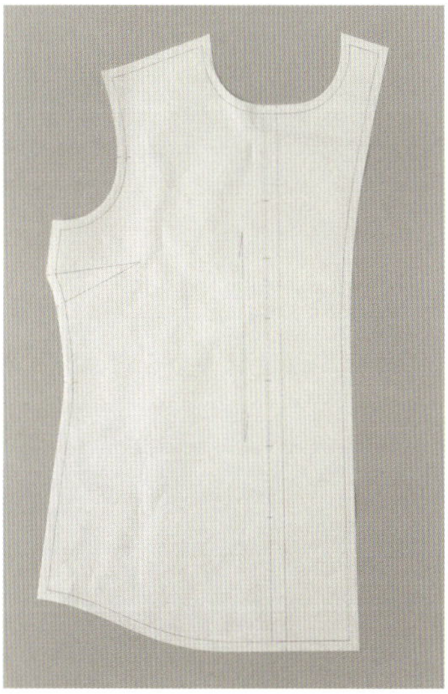

1 部分芯を張る、表身頃のパターン。

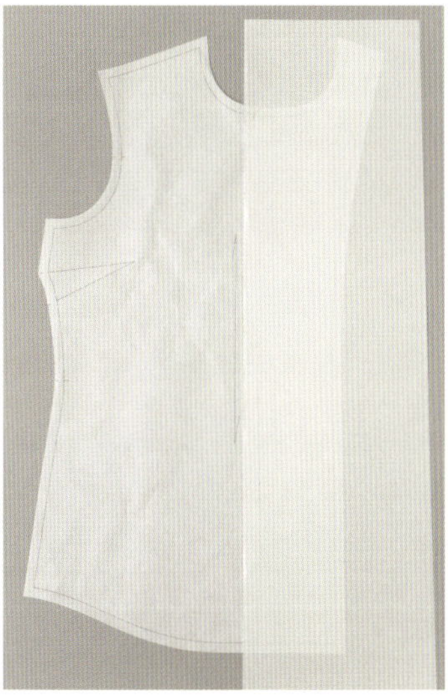

2 芯を張る位置を確認し、ハトロン紙を重ね、パターンを写す。

3 芯地のパターンを作る。

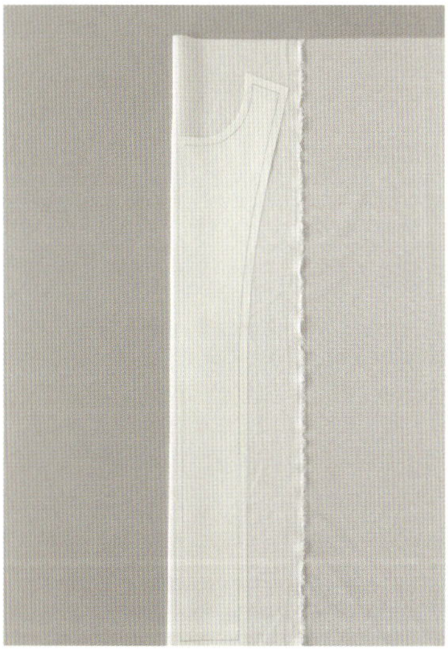

4 芯地とパターンの地の目を合わせて裁断する。

表地の裏側に、部分芯を張ったところ。

◎表布（身頃）のパターンを使って裁断する

1 表身頃のパターンで、部分芯の位置を確認する。

2 部分芯が入る幅に重ねた芯地の上に、表身頃のパターンを置く。

3 パターン内側の部分芯位置をチョークペーパーでしるす。

4 外側の裁切り線をチョークでしるす。

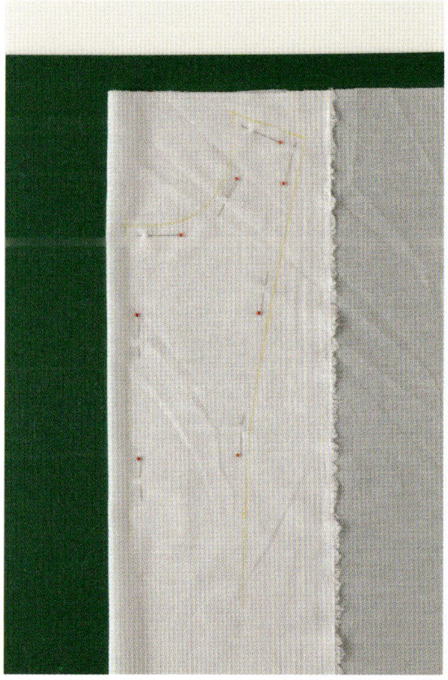

5 ずれないようにとめて裁つ。

表地の裏側に、部分芯をはったところ。

接着芯を裁つ

裁断　61

全面芯

◎表布と接着芯をそれぞれ裁断する

表布と同じパターンで芯地も裁断する。

1 同じパターンで表布と接着芯をそれぞれ裁断する。

2 表布の裏面に接着芯を張る。

必ず残布などで試し張りをする。アイロンで芯地が縮むようなときは、粗裁ちをして芯を張ってから裁断する。裁断してから張ると反ってしまうことがある。

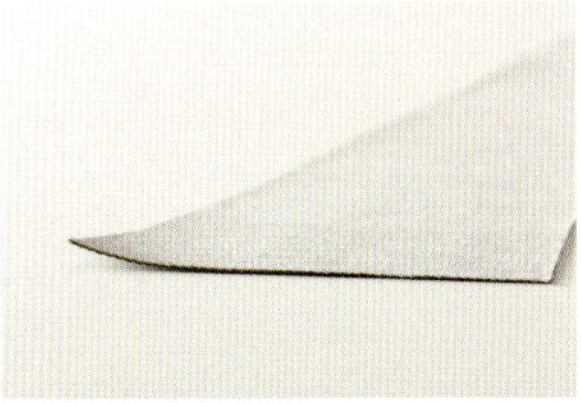

◎表布と接着芯を粗裁ちして、芯を張ってから裁断する

1 表布と接着芯をそれぞれ粗裁ちする。

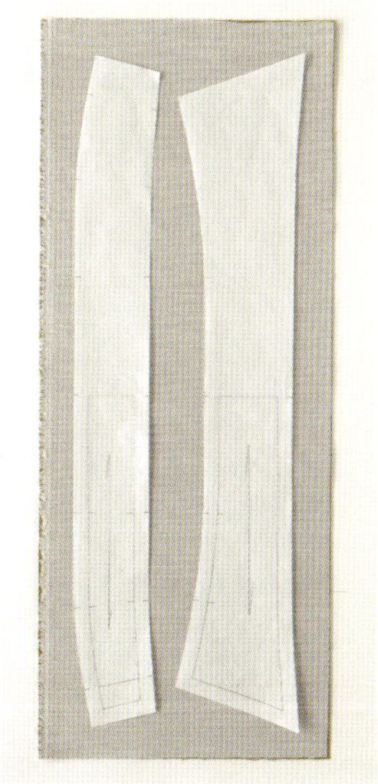

2 表布の裏面に接着芯を張り、パターンを置き直す。

3 パターンどおりに裁断する。

62　裁断

印つけ

パターンの内側にある線の印つけ。チョークペーパーなどを使うときは、基本的に裏面へしるす。

ポケット位置

◎布地の裏面に印をつける

1 布地を外表に合わせ、両面チョークペーパーをはさむ。

2 しるしたい線をルレットでなぞる。

3 布地の裏面に、ポケット位置がしるされる。

◎布地の表面に印をつける

Point: 仕上がったときに見えなくなる位置に印をする。

1 布地を中表に合わせ、両面チョークペーパーをはさむ。

2 実際に縫いつける位置の内側に印をつける。

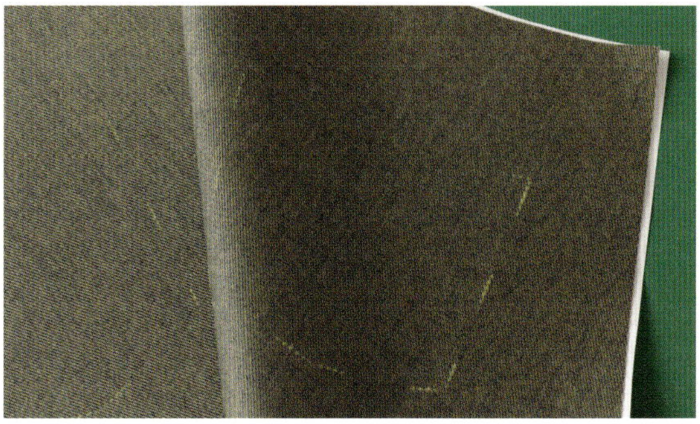

3 布地の表面のポケット位置内側に印が入っている。

接着芯を裁つ

印つけ

裁断　63

ダーツ位置

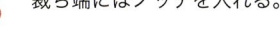

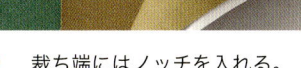

◎布地の裏面に印をつける

1 布地を外表に合わせ、両面チョークペーパーをはさむ。

2 ルレットでしるす。

3 裁ち端にはノッチを入れる。

◆ルレット

パターンを写しとる場合や布地の両面に印をつけるときの用具で、布地の印つけにはチョークペーパーとセットで使うのが一般的。

ソフトルレット

布地を傷つけにくい。薄地やチョークペーパーを使わない印つけの時に。

ルレット

ソフトルレットよりもシャープに印がつけられる。薄地やデリケートな布地の時は布端で試してから使用する。

◎チョークペーパーを使わない印つけ

薄地や、白っぽい布地の時に、チョークなどの印をつけたくない場合。

1 ルレットの跡をつける。

2 ダーツ止りは、目打ちでしるす。

3 ダーツ止りにだけ、チョークペンシルで点印を入れておくとわかりやすい。

裁断　65

縫い代なしのパターンで裁つ

縫い代のついていない、でき上りパターンを使うときは、布地に縫い代分をしるして裁つ。

1 布地とパターンの地の目を合わせて、動か
ないように重しを置く。

2 でき上り線から、必要な縫い代幅をとり、裁切り線をしるす。

3 合い印もしるしておく。

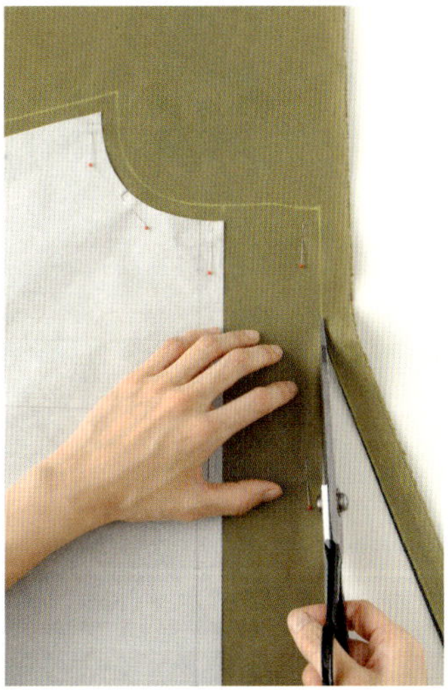

4 布地がずれないようにまち針
でとめ、はさみを入れる。

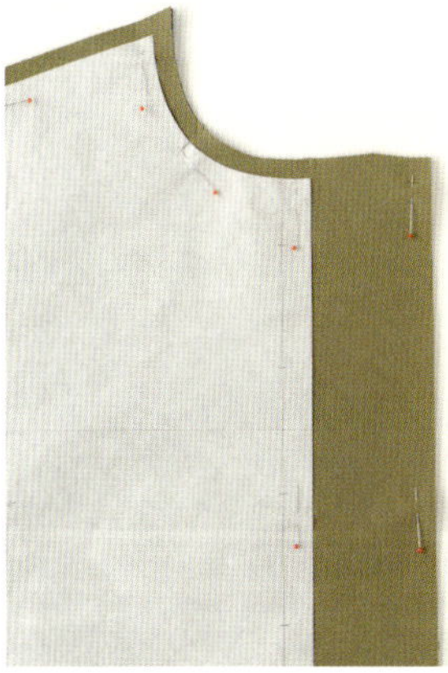

5 でき上り。

でき上り線をしるしたいとき ※チョークペーパーでしるす以外の印のつけ方。

◎切りじつけ

しつけ糸を使って、印をつけていく。

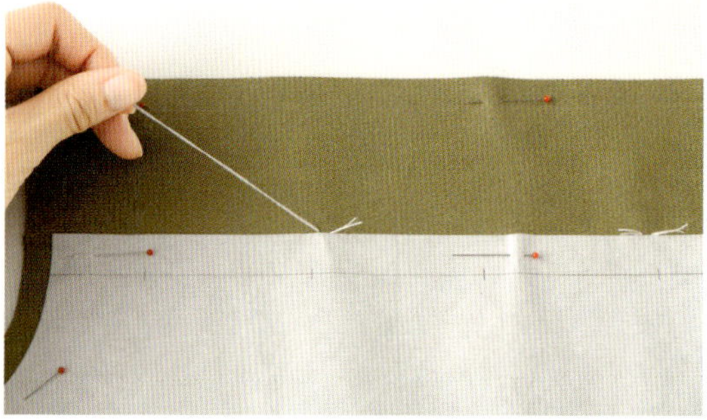

1 しつけ糸2本どりで、糸足を残しながら間隔をあけて印をつけたい部分に糸を縫い置いていく。

上側　　　　　下側

2 角は糸が十字に渡るように交差させ、曲線は細かめに入れる。

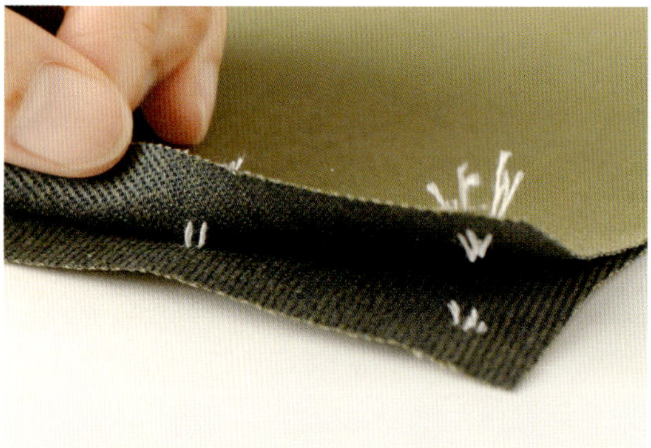

3 糸を抜かないように、2枚の布地の間で糸を切る。

印つけ

裁断　67

布地の耳がつれているとき

耳に切込みを入れて落ち着かせてから裁ち合わせる。

耳がつれている状態。

つれている部分に1〜1.5cm間隔くらいで1cm以内の切込みを入れる。

切込みが入ると落ち着く。

チェック柄を2枚重ねて裁つとき

柄がずれないように数柄おきにしつけでとめておくといい。

しつけ

しつけ

（上側）

（下側）

（内側）

パターンの補正

実物大パターンの中に欲しいサイズがないとき、

少しだけサイズを変えたいときは、裁断前にパターンの補正をします。

デザインとバランスを崩さない範囲での補正をしましょう。

付録のパターンを作り変えて、

自分だけのパターンを持つことも手作りの喜びです。

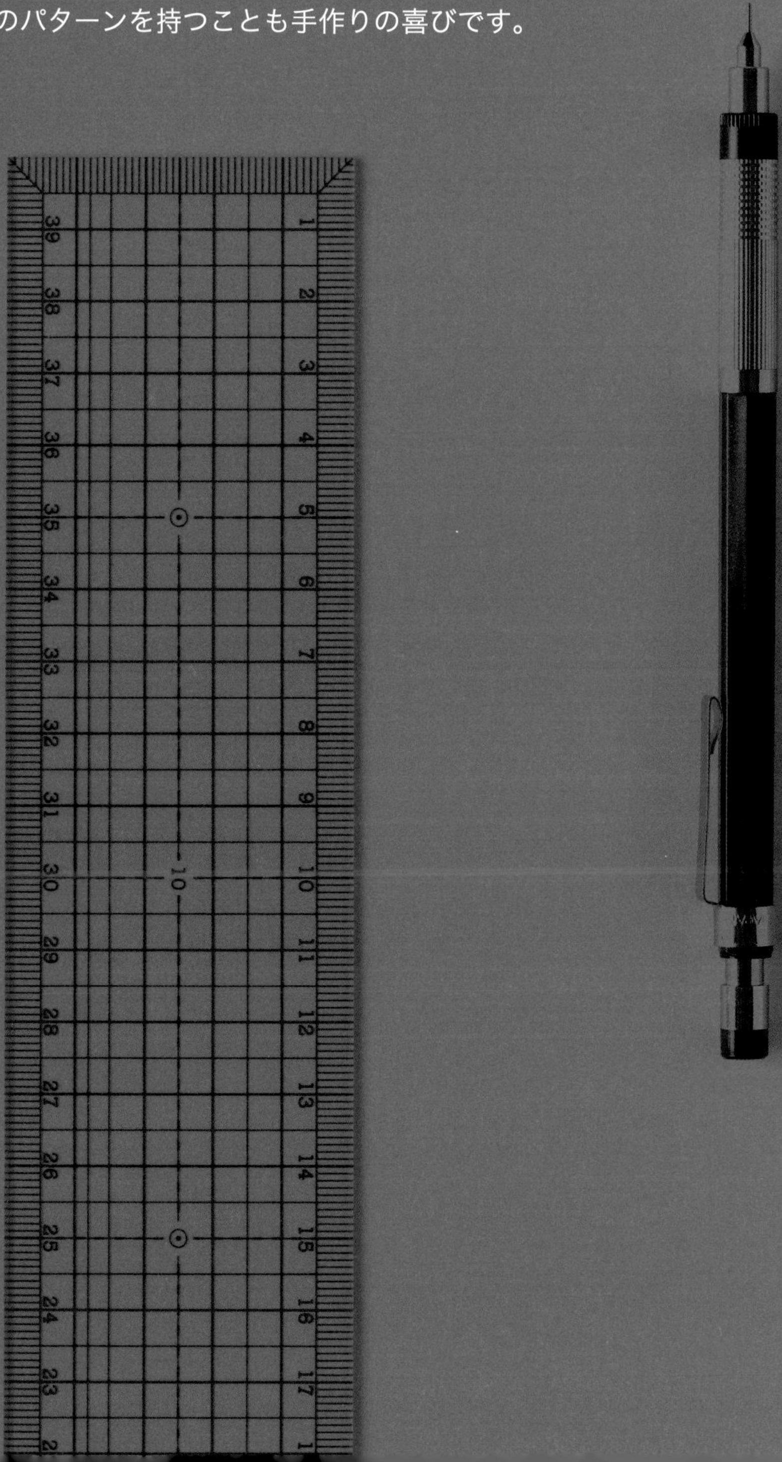

サイズについて

丈の補正

幅の補正

サイズについて

パターンは「9AR」で作られていることが多い。
「9AR」とはJIS（日本工業規格）サイズで
日本人成人女子の標準体型とされる。

「R」とは身長を示す記号で

R ············ 身長 158cm
P ············ 〃 150cm
PP ········· 〃 142cm
T ············ 〃 166cm

と、区分されている。

身長によって丈を変えたい場合、この標準寸法も合わせて考えると、バランスよく補正できる。
幅に関してはだいたい3～4cmピッチでサイズ展開されているが、サイズ表に当てはまらないパターンが欲しいときは……
ここではデザインを崩さない範囲で、より作りたいサイズのパターンにする補正方法を説明する。

パターン仕上り寸法 (単位はcm)

	（サイズ）	5	7	9	11	13	15
ブラウス	バスト	87	90	93	96	99	102
	着丈	61	61.5	62	62.5	63	63.5
	肩幅	34.5	35.5	36.5	37	38	38.5
	袖丈	57	57.5	58	58.5	59	59.5
スカート	ウエスト	62	65	68	71	74	77
	ヒップ	88	91	94	97	100	103
	スカート丈	58.6	58.8	59	59.2	59.4	59.6
パンツ	ウエスト	62	65	68	71	74	77
	ヒップ	89	92	95	98	101	104
	股上	24.4	24.7	25	25.3	25.6	25.9
	股下	75	75	75	75	75	75

参考ヌード寸法

（サイズ）	5	7	9	11	13	15
バスト	77	80	83	86	89	92
ウエスト	60	63	66	69	72	75
ヒップ	85	88	91	94	97	100

丈の補正

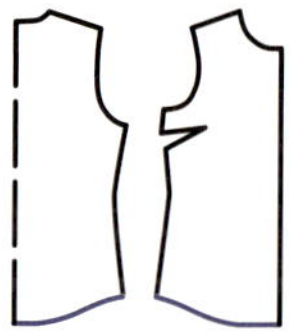

｜着丈を変える

◎裾線で着丈を補正する

裾のラインを変えずに着丈を変える場合、
裾線に平行に変えたい寸法を増減する。

基のパターン

裾線

●着丈を長くする場合

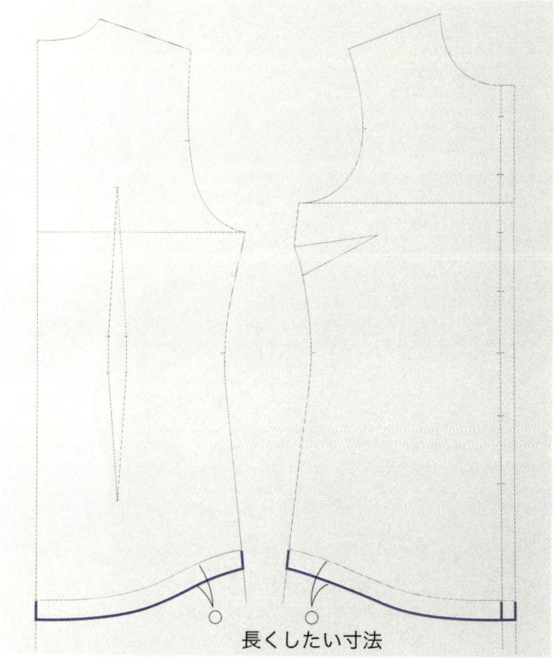

長くしたい寸法

前端線、中心線と脇線は延長線を引き、長くしたい寸法を裾線
に平行に出す。

●着丈を短くする場合

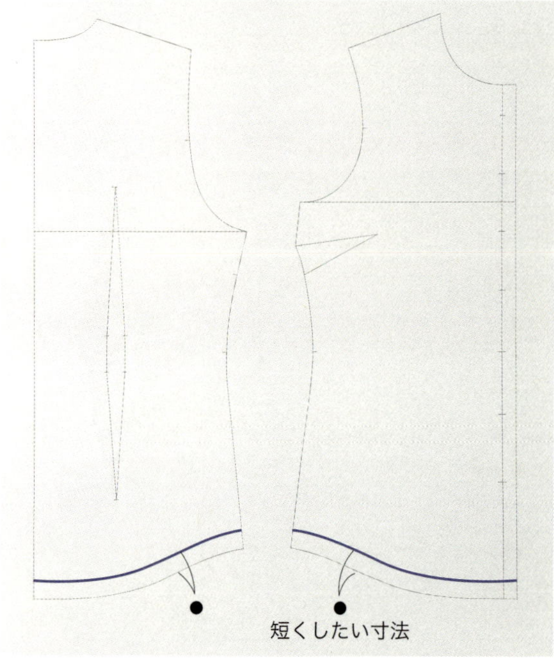

短くしたい寸法

短くしたい寸法を、裾線に平行にカットする。

パターンの補正　71

◎着丈の中間で補正する

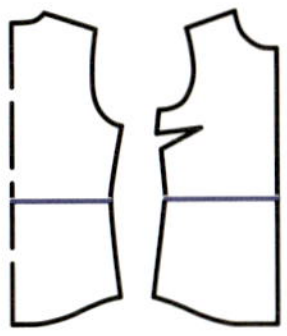

身長による丈の不具合は、裾線と着丈の中間に分散して増減する。
変えたい寸法のうち1cm程度を、中間で切り開いて補正する（背丈の補正）。
ウエストに絞りのあるデザインなどはバランスよく補正できる。

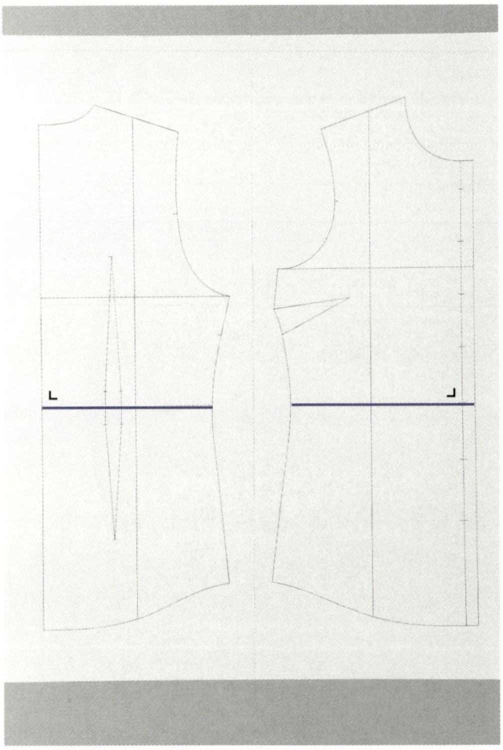

1 パターンのウエストライン、もしくは合い印やくびれているあたりを目安に、前後同じ位置で地の目線に垂直な線を引く。

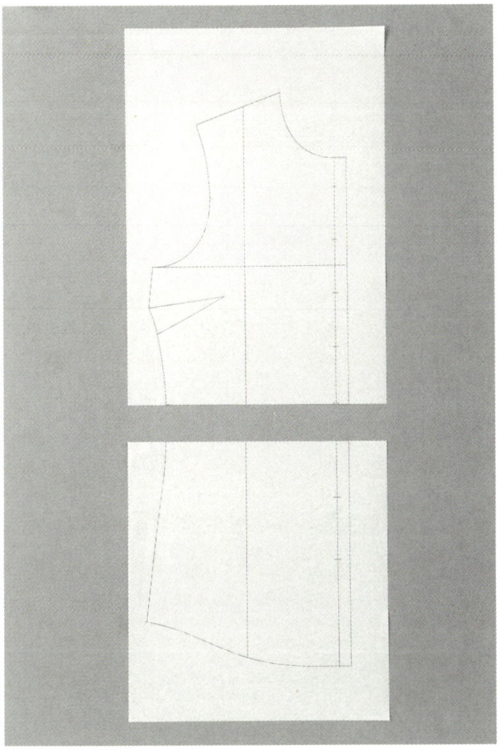

2 パターンを切り開く。

パターンをはり合わせるには

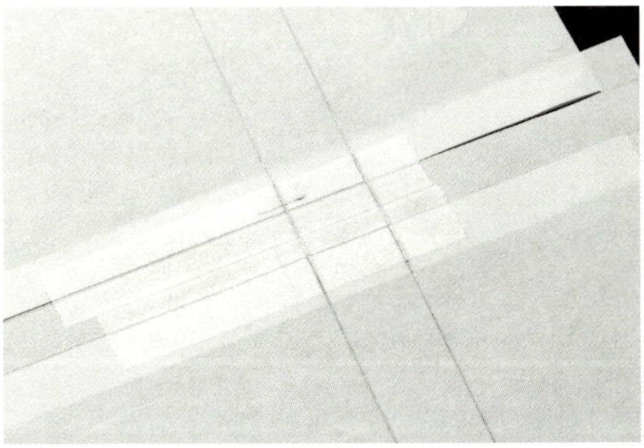

パターンを切り開いたときは、間に平行線を引いた紙をはさみ、メンディングテープでそれぞれをはり合わせる。紙がゆがまず、テープ上に書くこともできる。

◆メンディングテープ

つや消しのセロファンテープ。文字などの上にはるとテープの上から字が書き込めるので修正用のテープとしても利用できる。

72　パターンの補正

●身長が高く、着丈を長くする場合

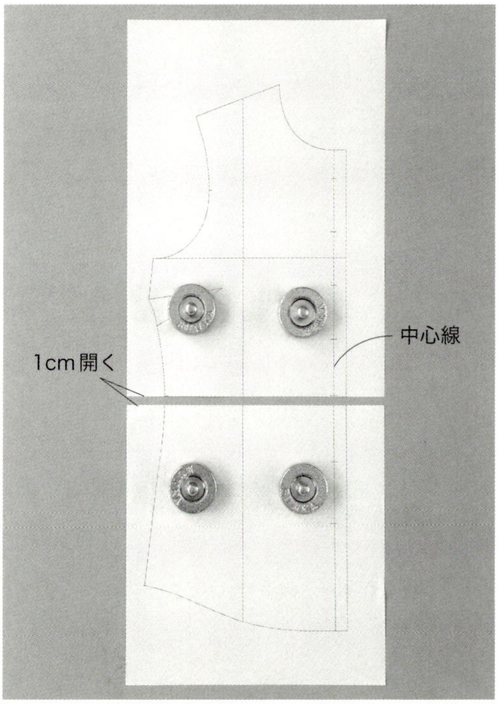

1cm開く

中心線

3 中心線がずれないように、長くしたい丈のうち1cm
を中間で開く。

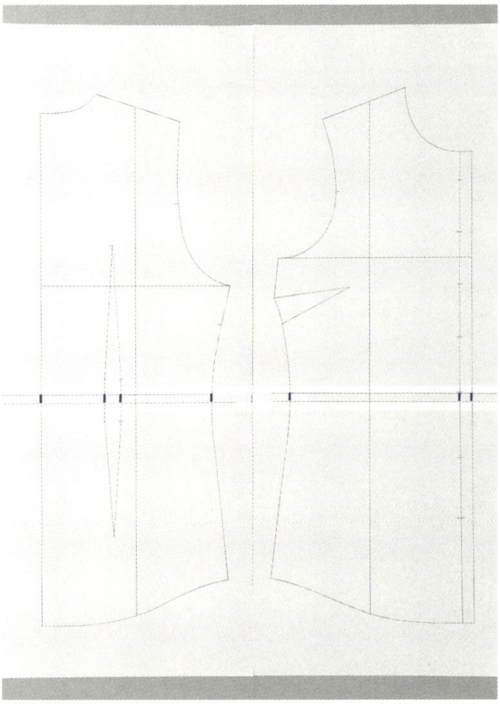

4 開いた分のパターンを足し、脇線はつながりよく
引き直す。前後同様に。残りの長くしたい寸法分
は裾線で補正する。

●身長が低く、着丈を短くする場合

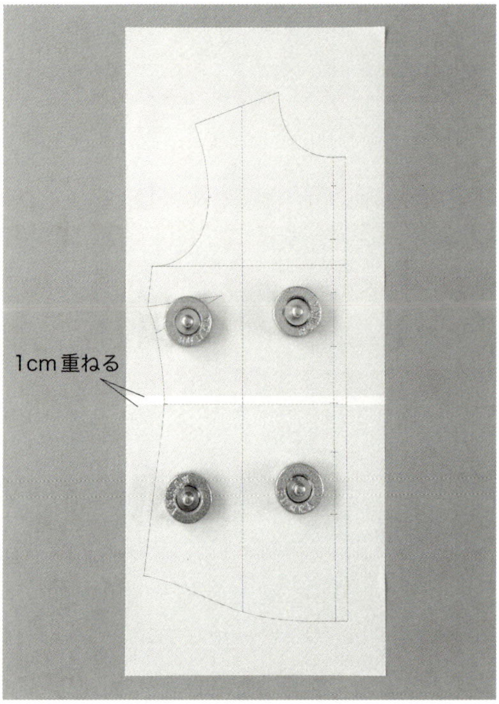

1cm重ねる

3 中心線がずれないように、短くしたい丈のうち
1cmを中間で重ねてとめる。

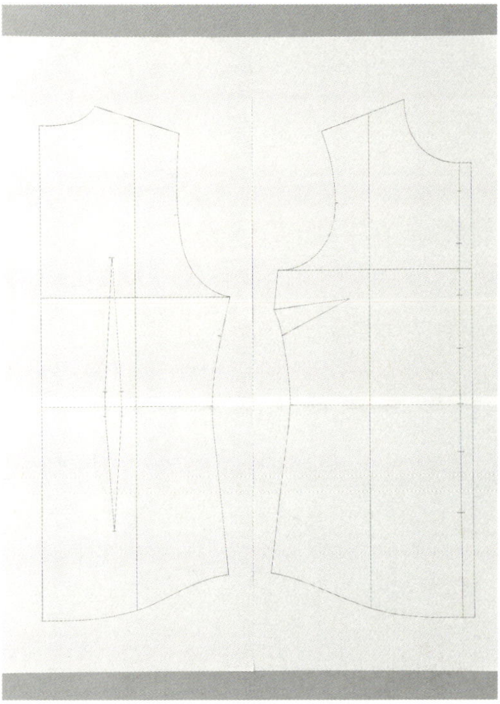

4 脇線はつながりよく引き直す。前後同様に。残り
の短くしたい寸法分は裾線で補正する。

丈の補正

パターンの補正　73

袖丈を変える

◎袖口線で袖丈を補正する

袖口線に平行に変えたい寸法を増減する。

基のパターン

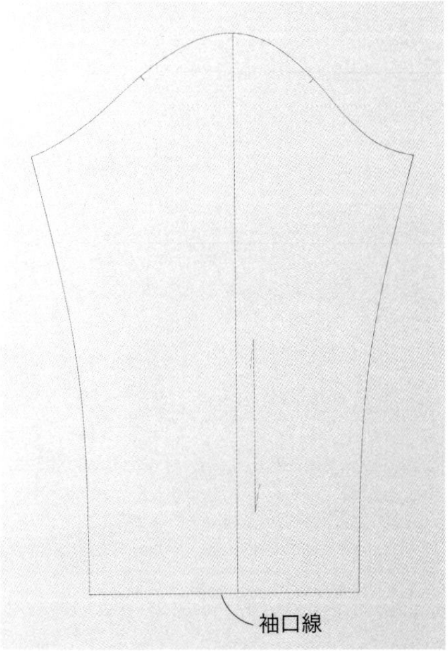

袖口線

●袖丈を長くする場合

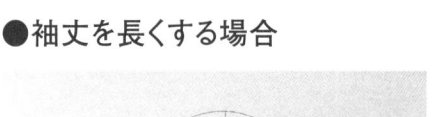

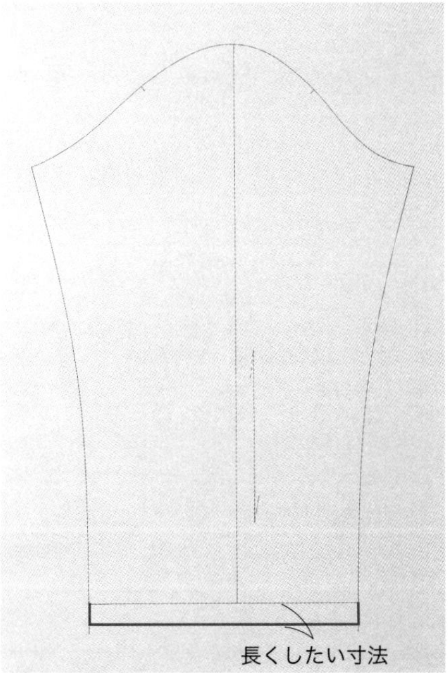

長くしたい寸法

袖下線は延長線を引き、長くしたい寸法を袖口線に平行に出す。

●袖丈を短くする場合

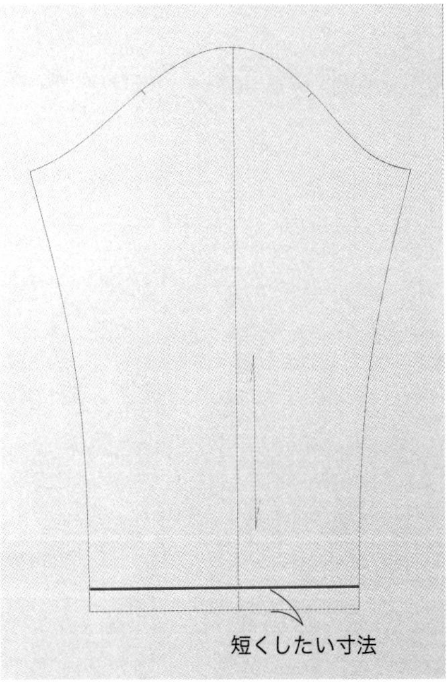

短くしたい寸法

短くしたい寸法を、袖口線に平行にカットする。

◎袖丈の中間で補正する

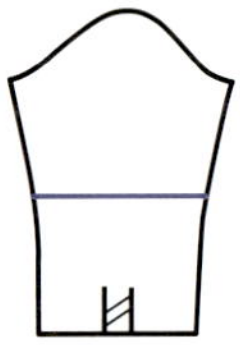

袖口寸法を変えたくないとき、袖口にタックやギャザー、
あきがあるときは、袖丈の中間を切り開いて変えたい寸法を増減する。

基のパターン

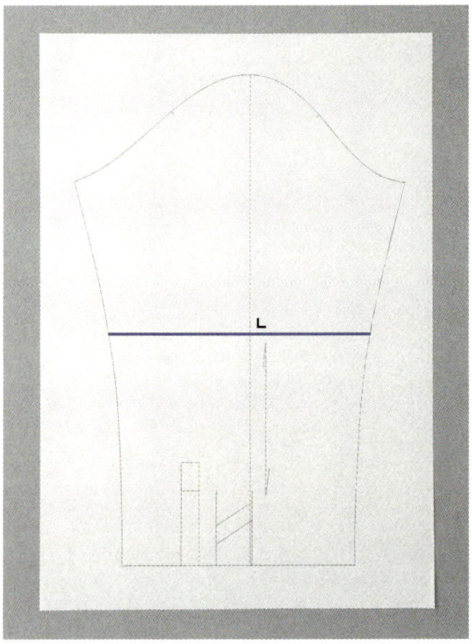

1 EL（ひじ線）、もしくは袖丈の中間あたりに地の目線に垂直な線を引く。

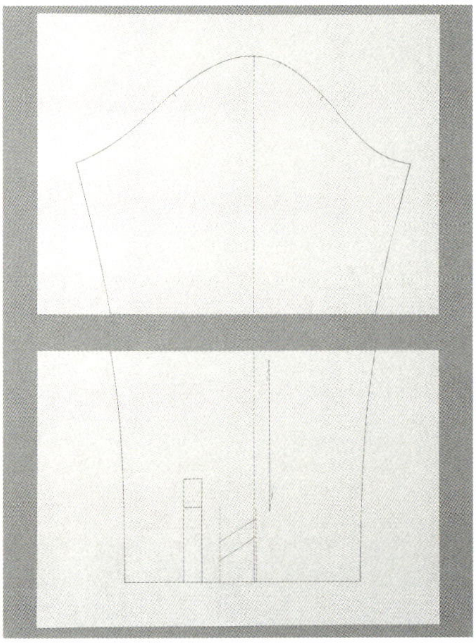

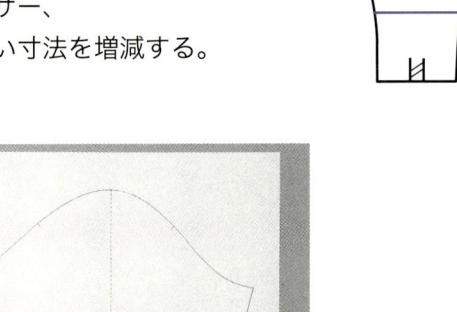

2 パターンを切り開く。

●袖丈を長くする場合

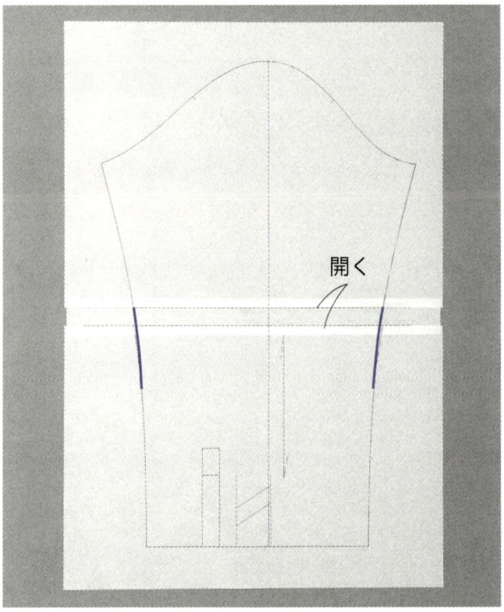

開く

中心線がずれないように、長くしたい寸法を開き、パターンを足す。袖下線をつながりよく引き直す。

●袖丈を短くする場合

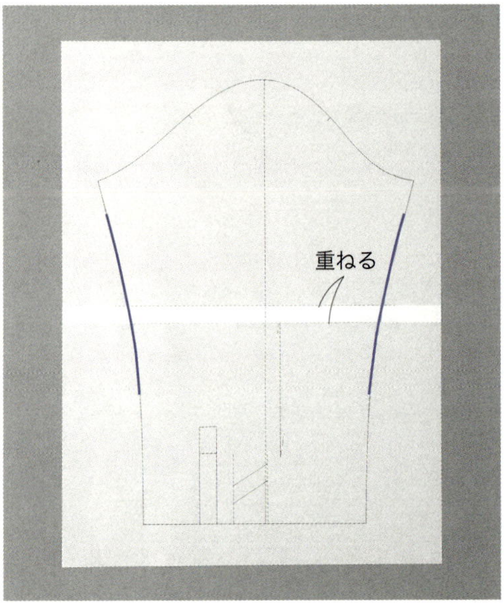

重ねる

中心線がずれないように、短くしたい寸法を重ねてとめ、袖下線をつながりよく引き直す。

丈の補正

パターンの補正　75

スカート丈を変える

◎裾線でスカート丈を補正する

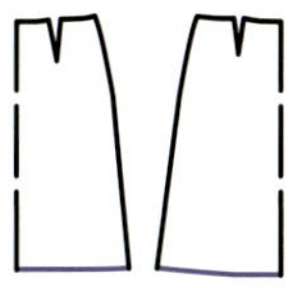

スカート丈の補正は裾線でのみ。裾線に平行に変えたい寸法を増減する。
ただし、極端な寸法の増減は裾幅の増減にもなるので注意する。

基のパターン

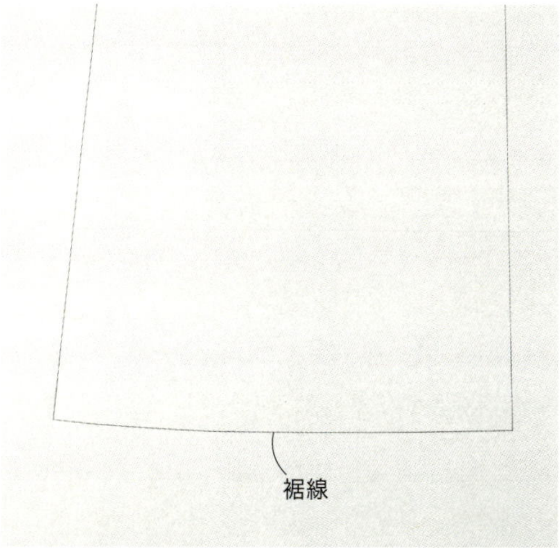

裾線

●スカート丈を長くする場合

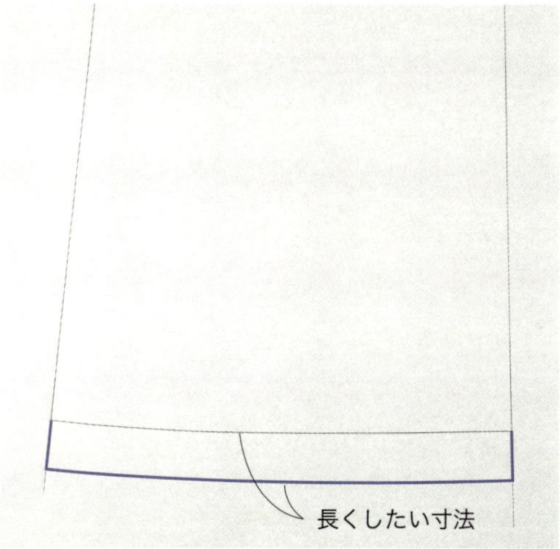

長くしたい寸法

中心線と脇線は延長線を引き、丈を長くしたい寸法を
裾線に平行に出す。前後同様に。

●スカート丈を短くする場合

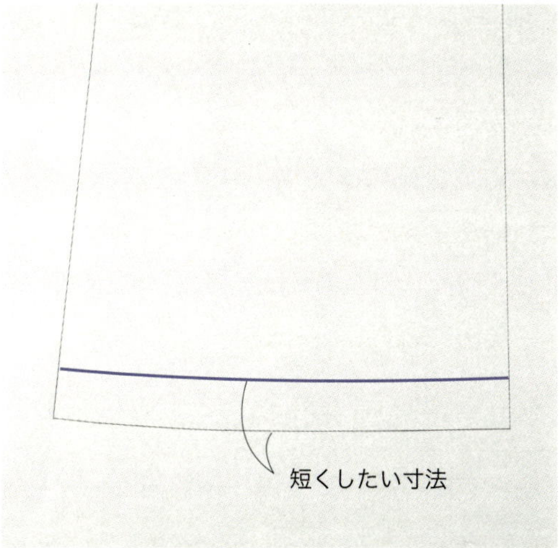

短くしたい寸法

丈を短くしたい寸法を裾線に平行にカットする。前後
同様に。

76 パターンの補正

パンツ丈を変える

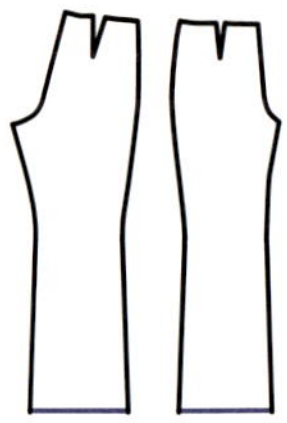

◎裾線でパンツ丈を補正する

裾線に平行に変えたい寸法を増減する。

基のパターン

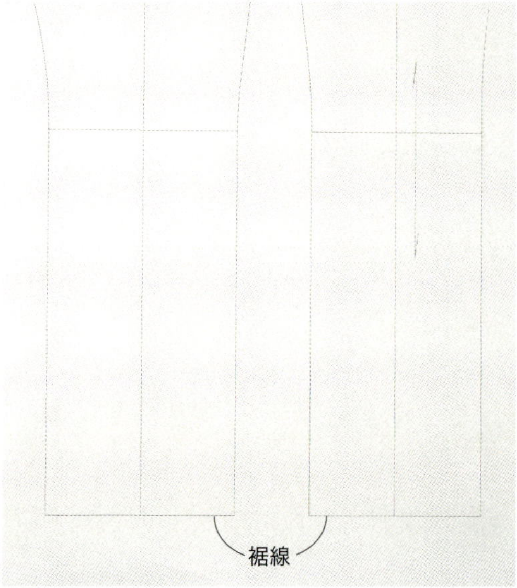

裾線

●パンツ丈を長くする場合

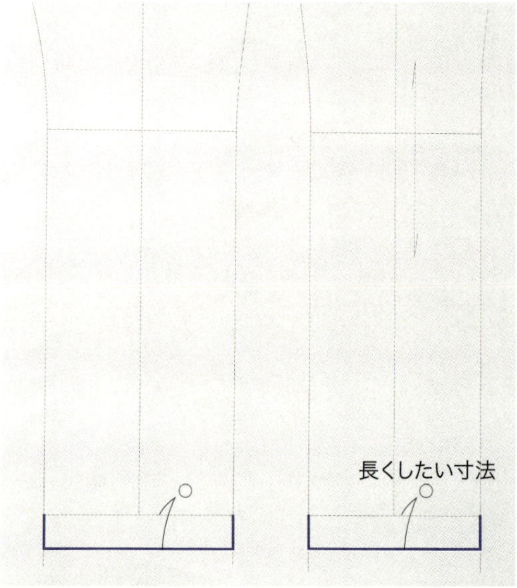

長くしたい寸法

脇線と股下線は延長線を引き、長くしたい寸法を裾線に平行に出す。前後同様に。

●パンツ丈を短くする場合

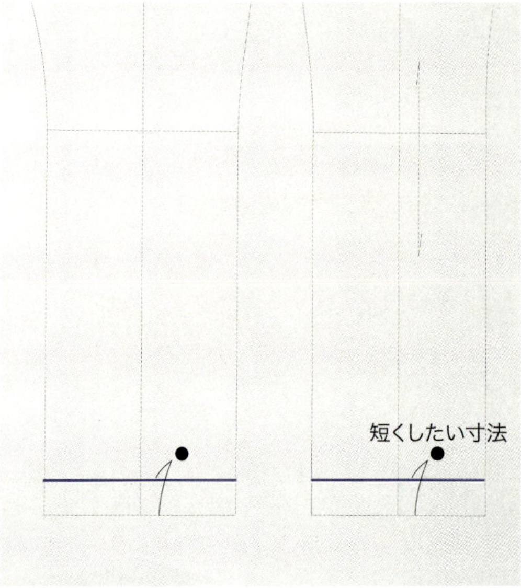

短くしたい寸法

短くしたい寸法を裾線に平行にカットする。前後同様に。

丈の補正

パターンの補正　77

◎パンツ丈の中間で補正する

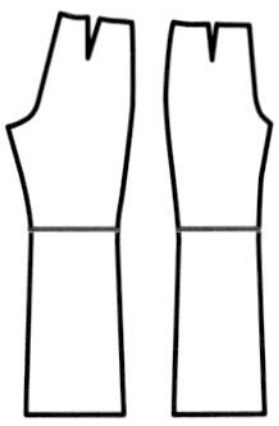

ひざのあたりに絞りがあるデザインなど、シルエットを変えたくないときは
パンツ丈の中間を切り開いて変えたい寸法を増減する。

基のパターン

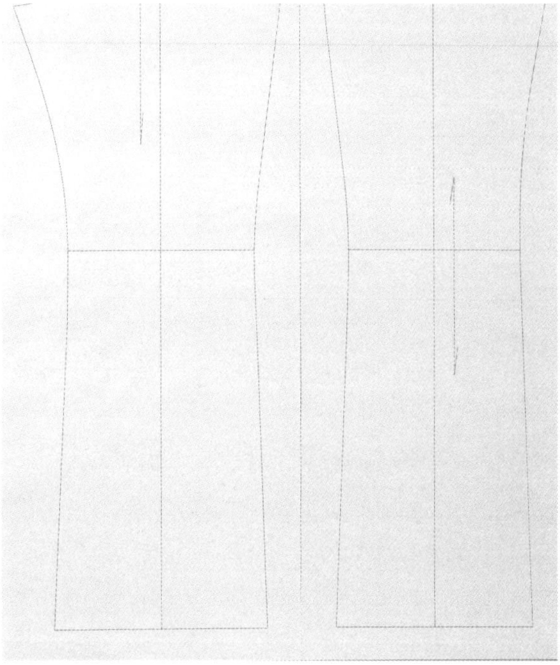

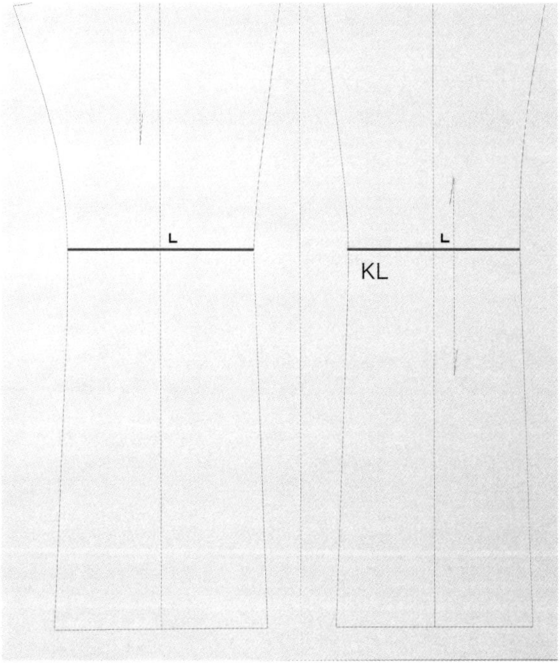

1 KL（ひざ線）、もしくは股下線の中間くらいで、パターンのくびれているあたりを目安に地の目線に垂直な線を引く。

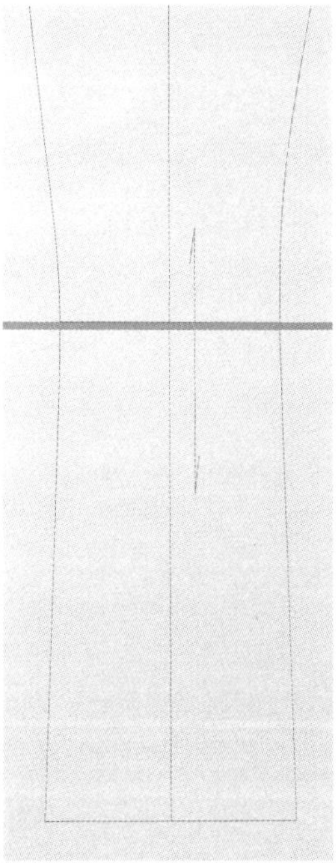

2 パターンを切り開く。

78　パターンの補正

●パンツ丈を長くする場合

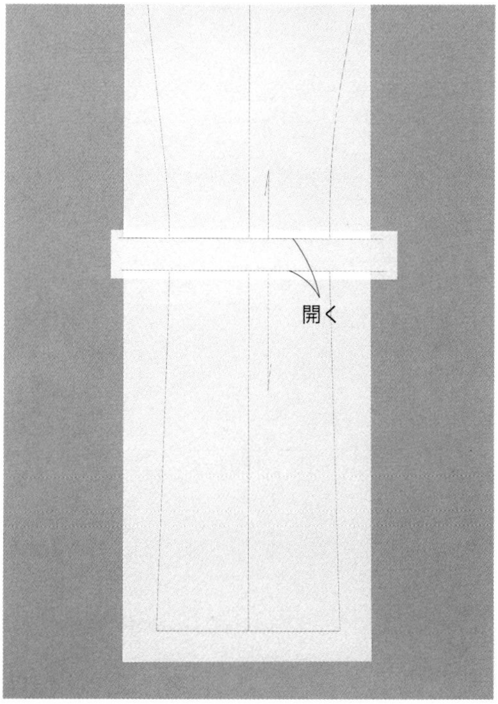

3 中心線がずれないように長くしたい寸法を開き、パターンを足す。

開く

4 線をつながりよく引き直す。前後同様に。

●パンツ丈を短くする場合

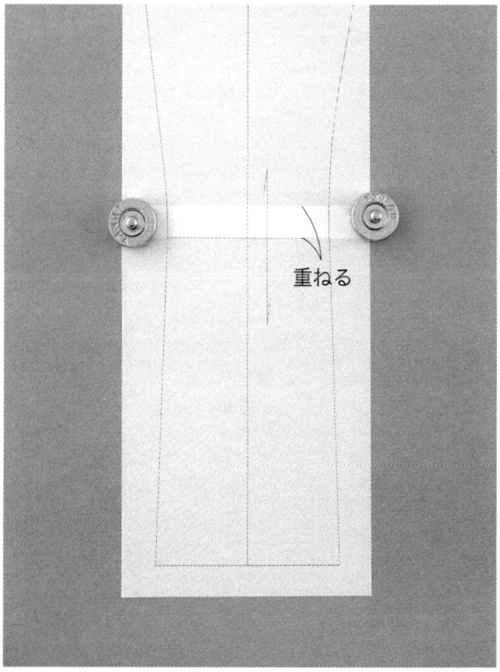

3 中心線がずれないように短くしたい寸法を重ねてとめる。

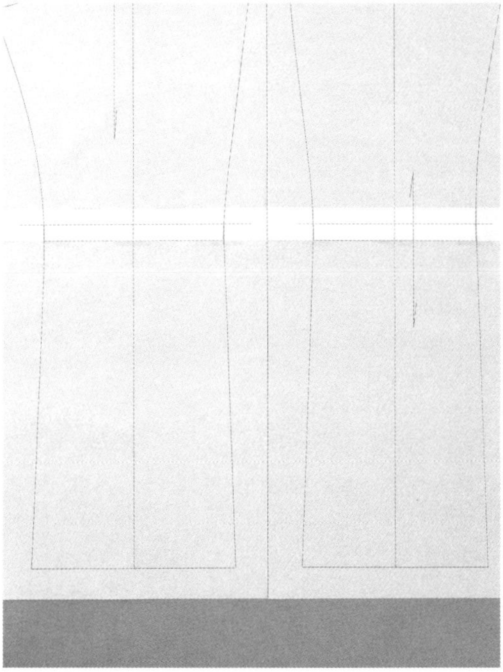

重ねる

4 線をつながりよく引き直す。前後同様に。

丈の補正

パターンの補正　79

幅の補正

増減したい寸法によっては補正箇所を分散する。

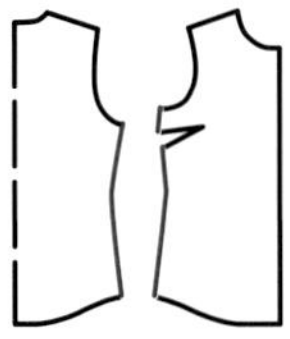

身幅と袖幅を変える

◎脇線で身幅を補正する

服のバランスを崩さないようにするために、
全体で4cmまでは脇線に平行に増減する。
4cm以上の増減をしたいときは、
身幅の中間でも補正する (p.86)。
袖がつく場合は袖幅も補正する (p.84)。

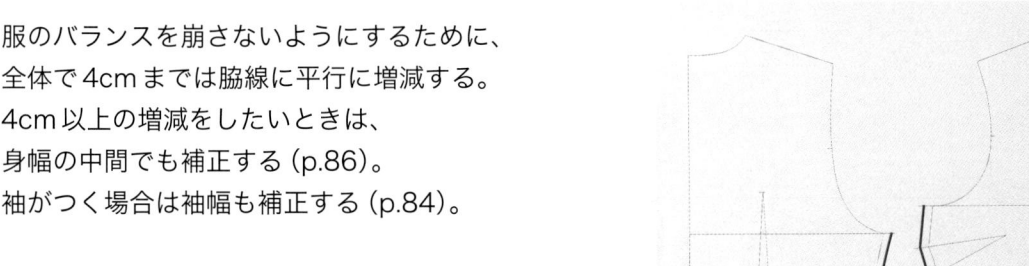

●身幅を広くする場合

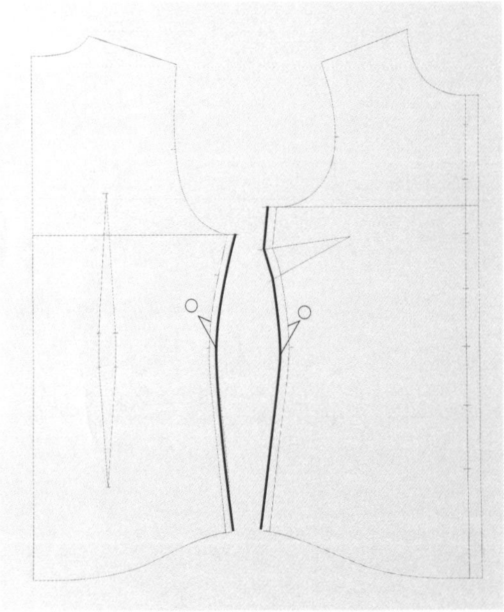

1 全体で広くしたい寸法の¼＝○ (最大1cm) を脇線に平行に出す。ダーツ線は延長しておく。

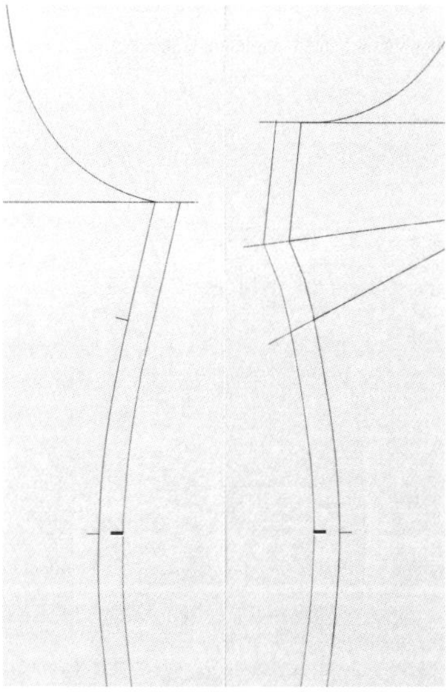

2 ウエストに合い印を入れ、合い印を基準にパターンチェックしていく。

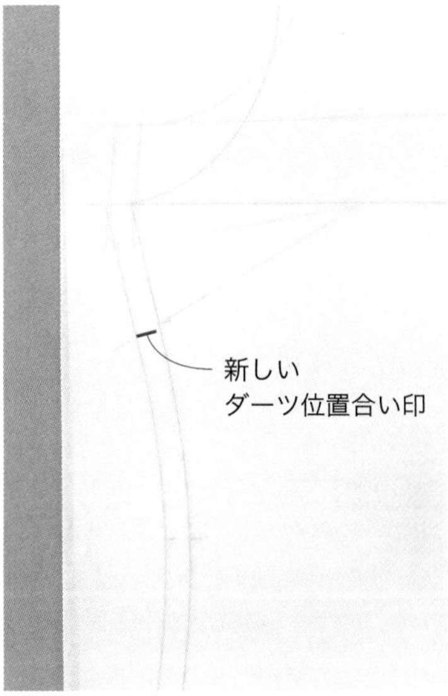

3 前後の脇線を重ねて寸法を確認する。この例はダーツがあるので、後ろ脇線に新しいダーツ位置合い印を入れる。

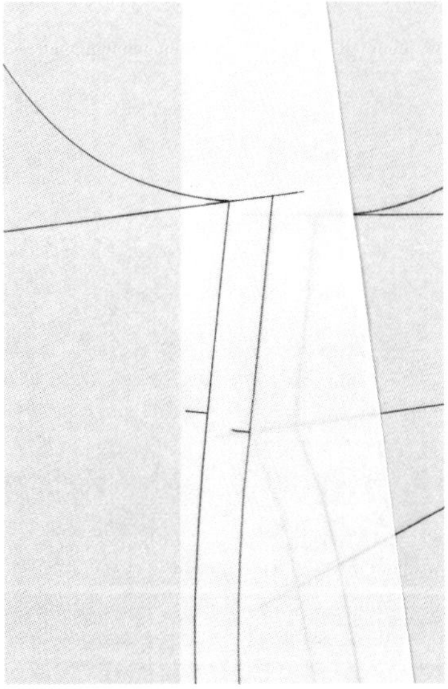

新しい
ダーツ位置合い印

4 ダーツから上の脇線を突き合わせて袖底までの寸法を確認。

80　パターンの補正

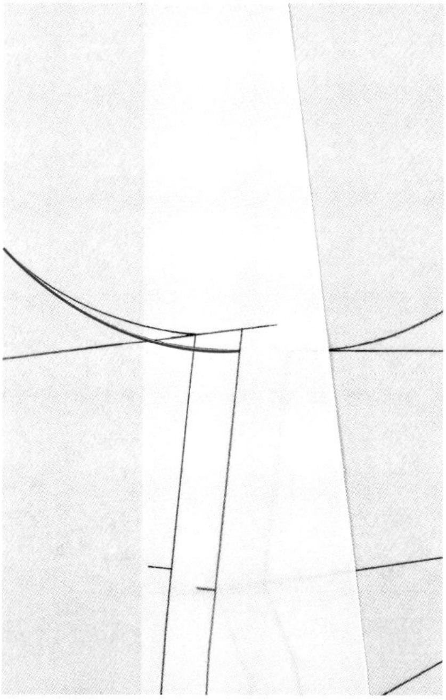

縦書き右側: 幅の補正

5 寸法を合わせ、つながりよく袖ぐり線を
引き直す。

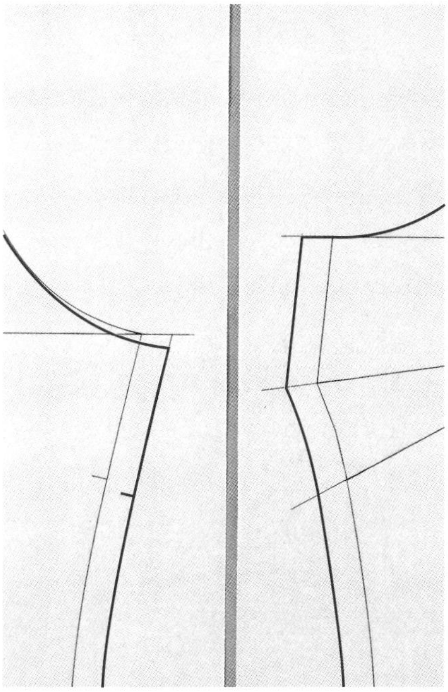

6 新しい袖ぐりからの脇線。

7 ウエストから裾までの寸法も確認し、
ずれている場合は裾線を引き直す。

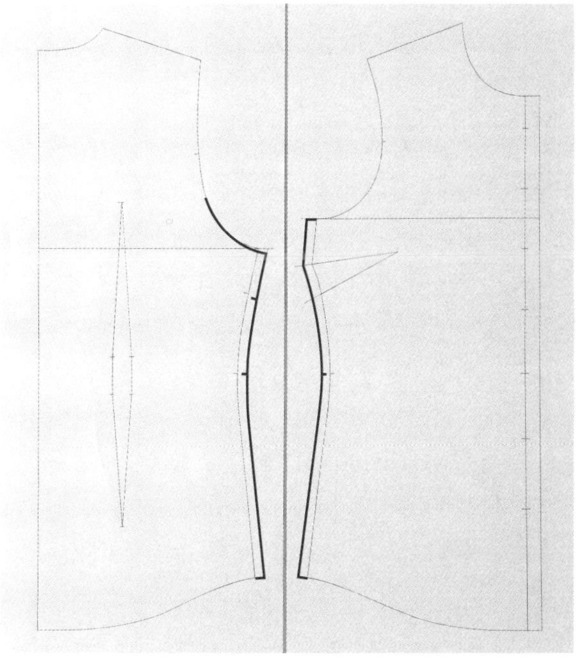

裾線

8 でき上り。

パターンの補正　81

●身幅を狭くする場合

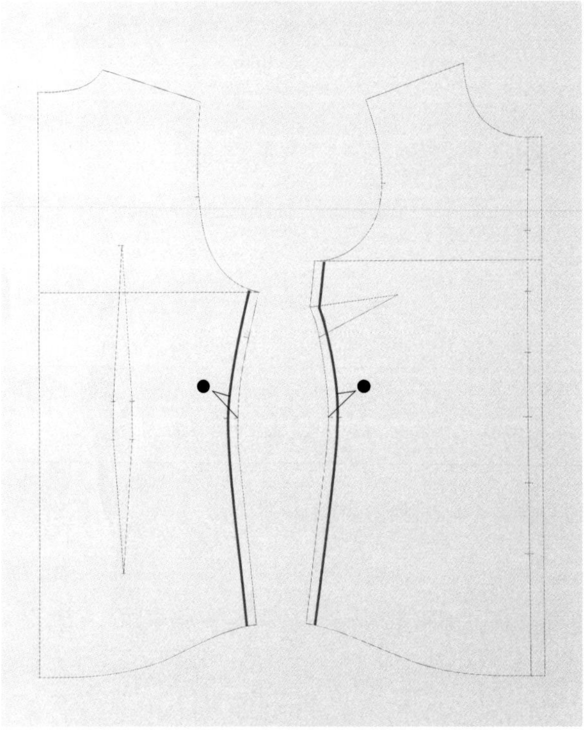

1 全体で狭くしたい寸法の¼＝●（最大1cm）を脇線に平行にカットする。

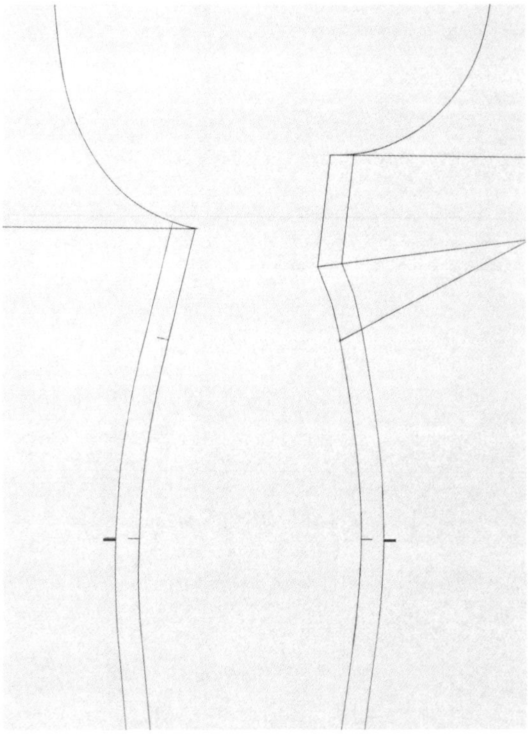

2 ウエストに合い印を入れ、合い印を基準にパターンチェックしていく。

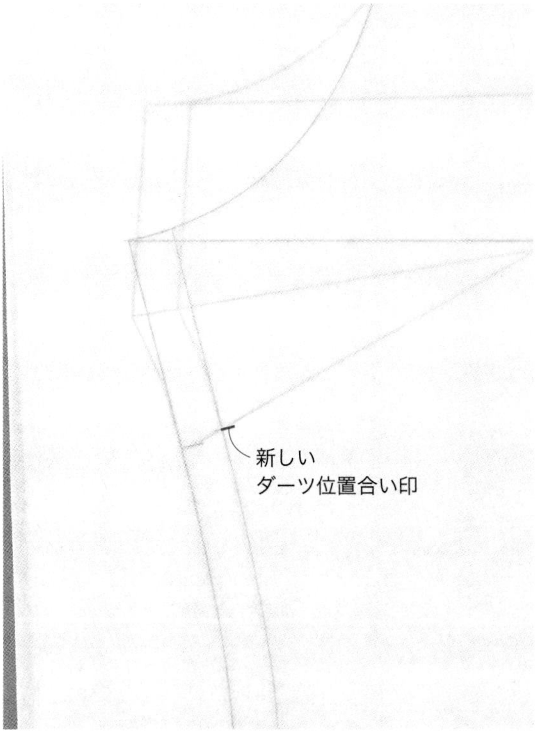

新しい
ダーツ位置合い印

3 前後の脇線を重ねて寸法を確認する。この例は脇ダーツがあるので、後ろ脇線に新しいダーツ位置合い印を入れる。

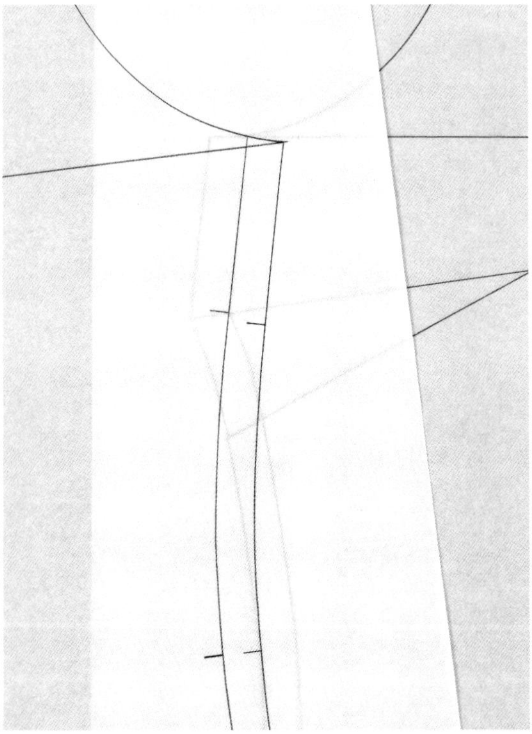

4 ダーツから上の脇線を突き合わせて袖底までの寸法を確認。

82　パターンの補正

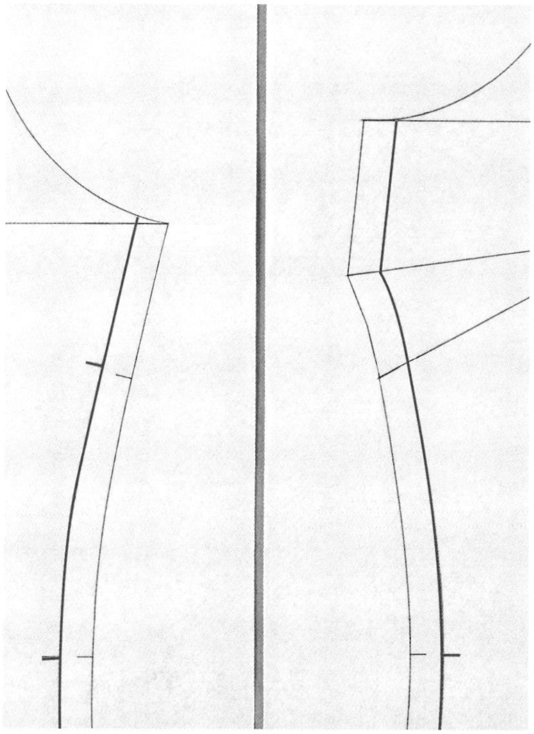

5 新しい袖ぐりからの脇線。

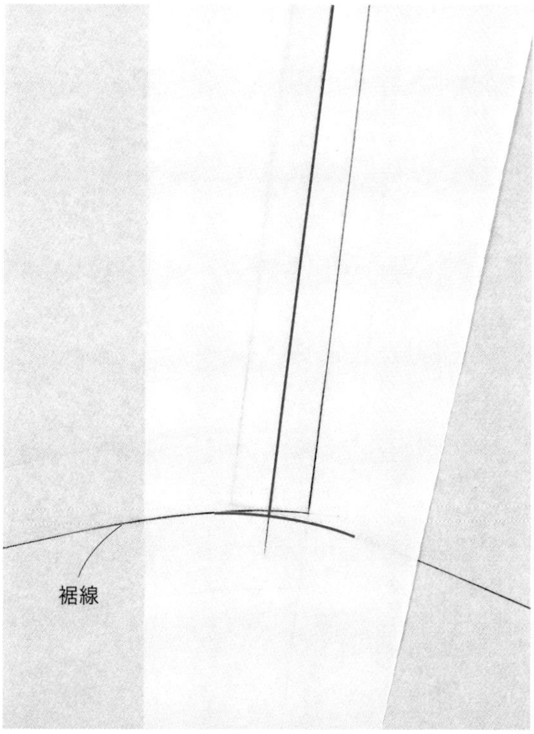

6 ウエストから裾までの寸法も確認し、ずれている場合は裾線を引き直す。

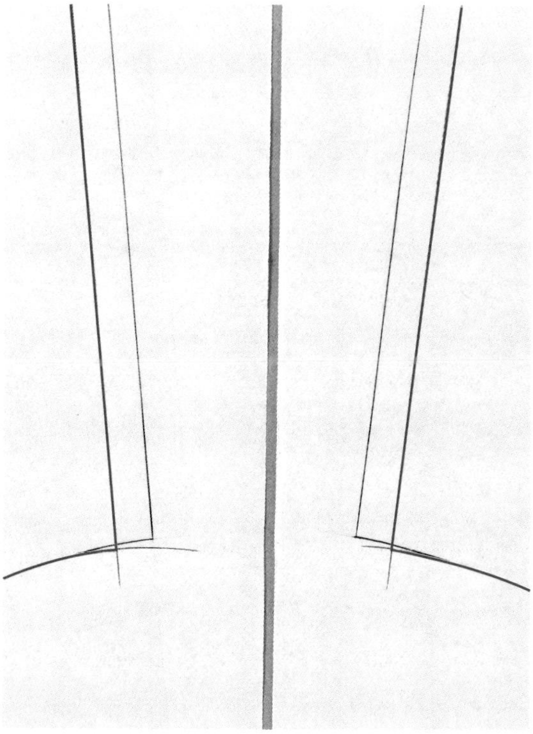

裾線

7 新しい裾までの脇線。

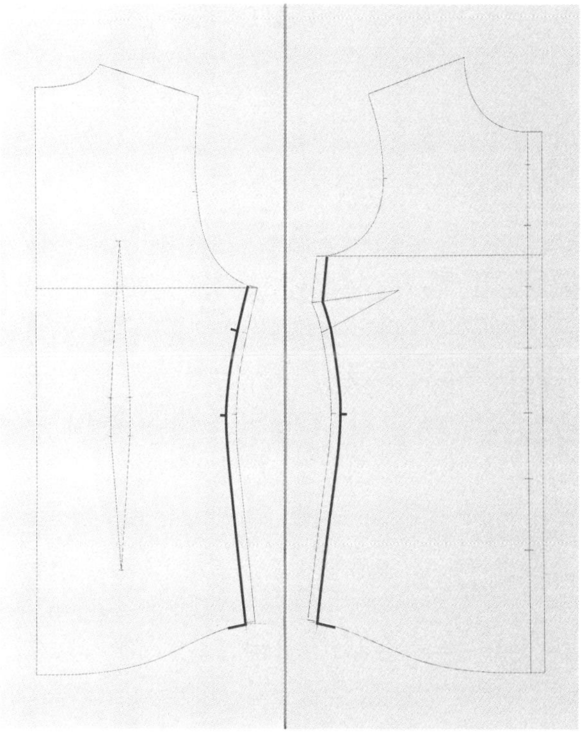

8 でき上り。

パターンの補正　83

◎袖下線で袖幅を補正する

身幅を変えたときは袖幅も変える。
袖口幅は身幅で変えた寸法の½にとどめるほうがバランスがいい。

●身幅を広くした場合

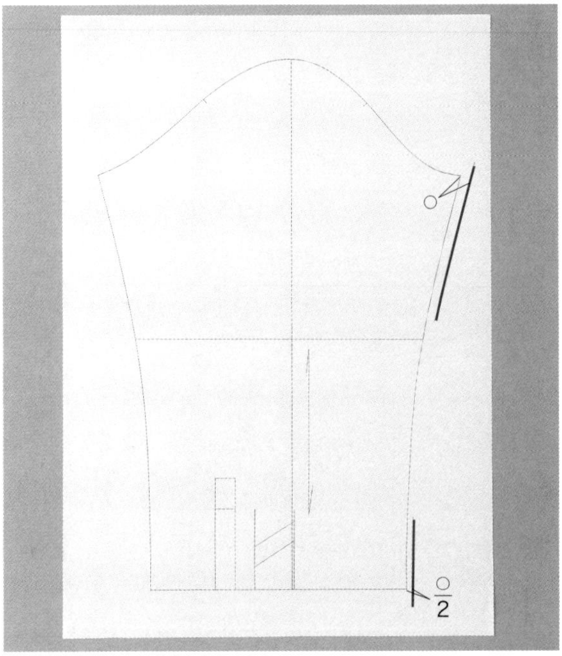

1 袖底では、身幅で出した寸法（○）を、袖口ではその½
をとってしるす。

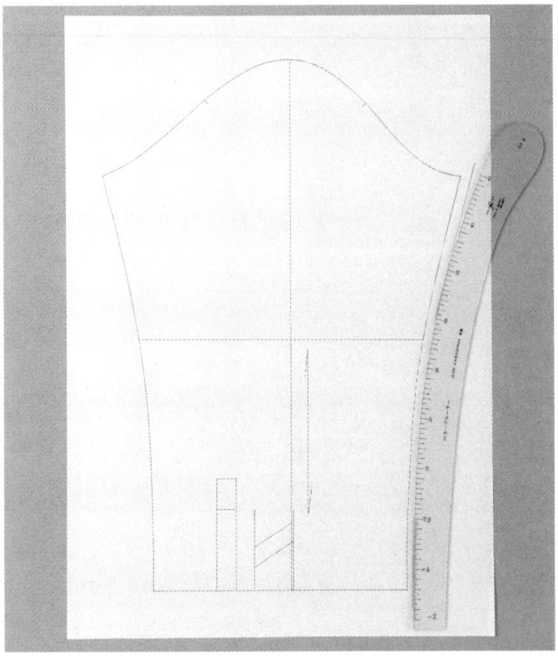

2 つながりよく線を引き直す。

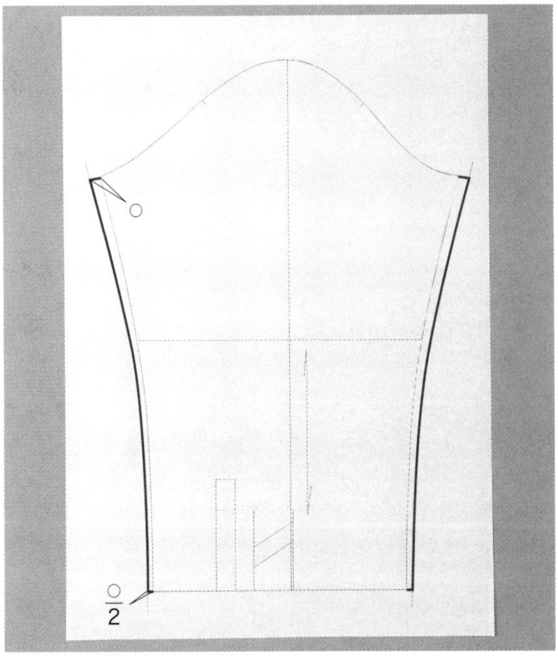

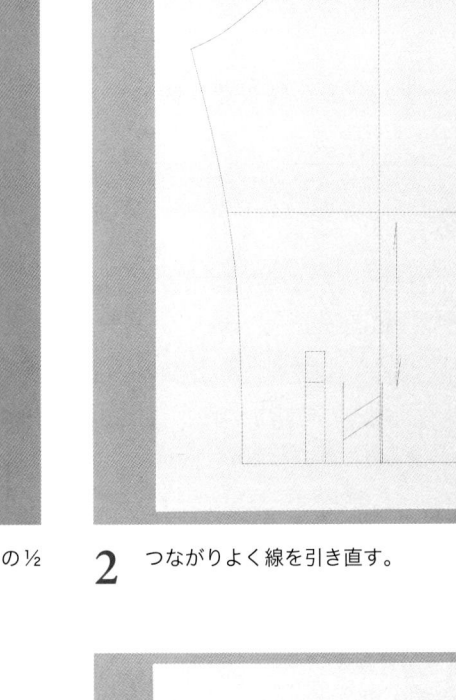

3 後ろ側も同様に。

84 パターンの補正

●身幅を狭くした場合

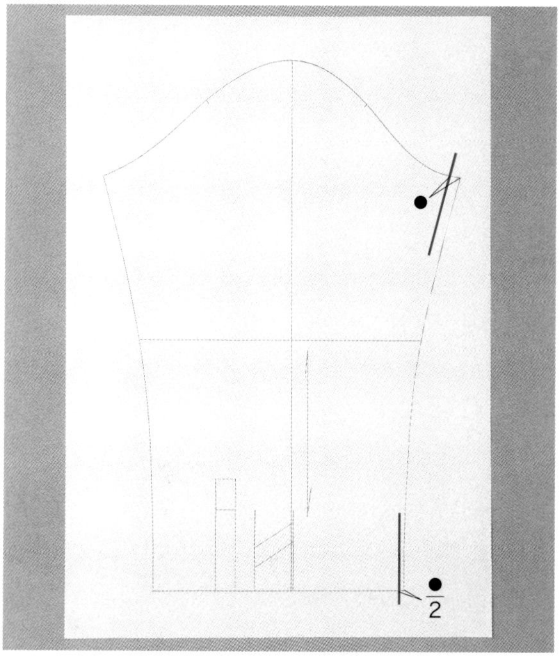

1 袖底で、身幅で狭めた寸法（●）を、袖口ではその½をとってしるす。

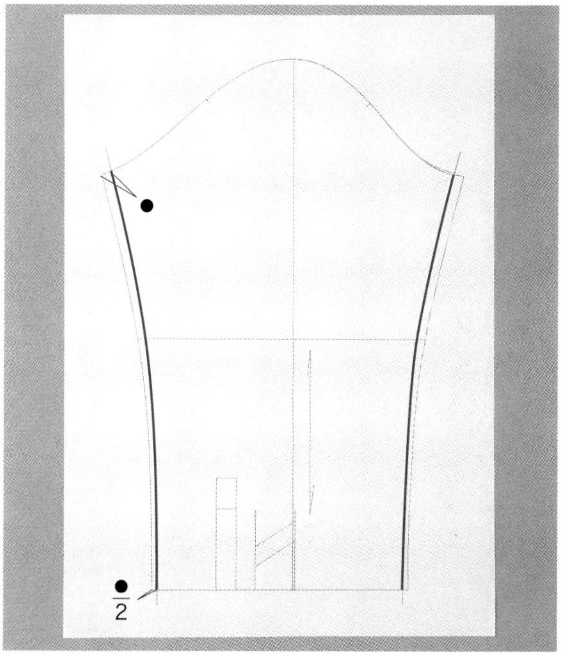

2 つながりよく線を引き直す。後ろ側も同様に。

幅の補正

パターンの補正　85

◎身幅の中間で幅を補正する

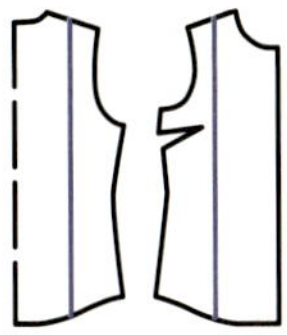

袖幅を変えずに身幅だけ変えたいときは、中間で補正する。
補正寸法は全体で2cmまで。

※この場合は、肩幅も1cm増減する。

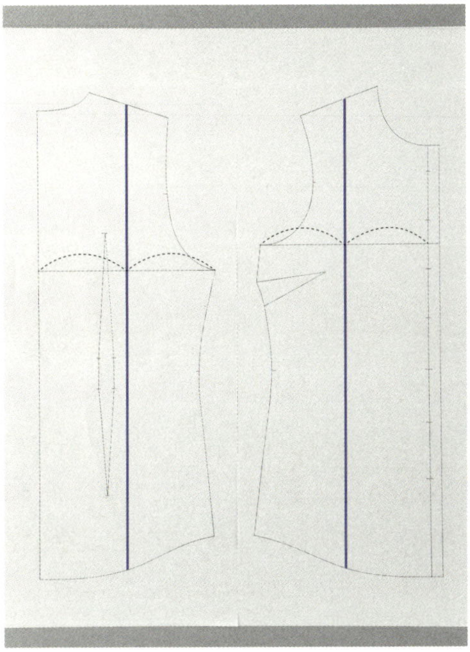

1 身幅の中間に、地の目線に平行な線を引く。

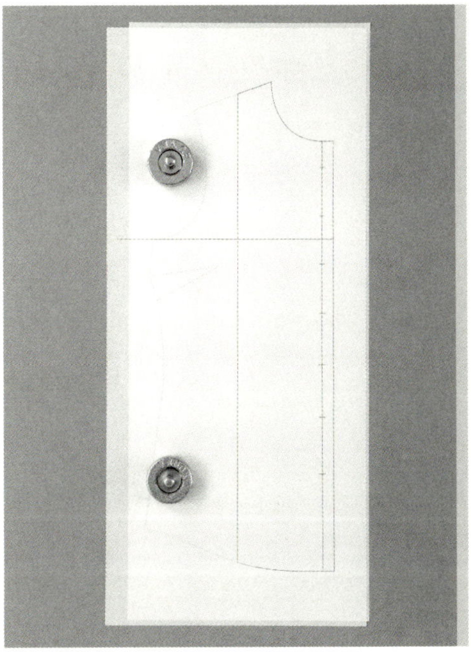

2 中心側の身頃を写す。

●身幅を広くする場合

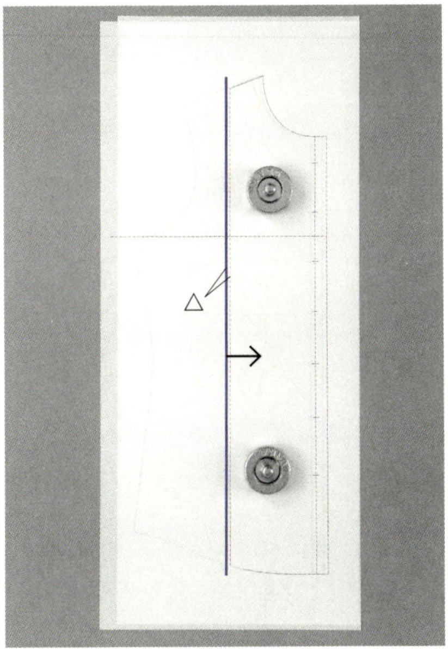

3 全体で広くしたい寸法の¼＝△（最大0.5cm）を
外側に平行に線を引き、**1**の線に合わせる。

●身幅を狭くする場合

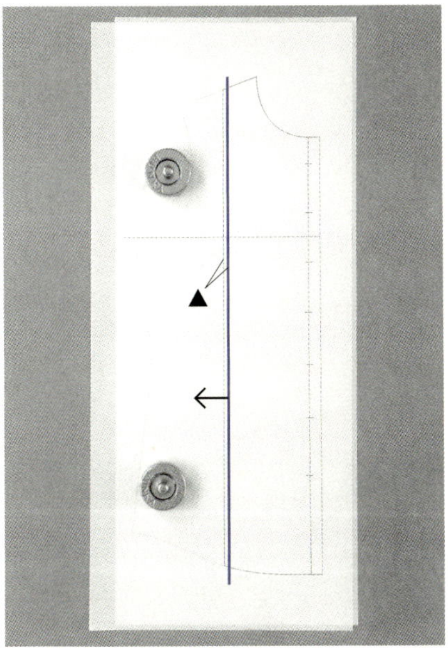

3 全体で狭くしたい寸法の¼＝▲（最大0.5cm）を
内側に平行に線を引き、**1**の線に合わせる。

86　パターンの補正

4. 脇側の身頃を戻し、胸線、裾線を引き直す。

5. 前後同様に。

4. 脇側の身頃を戻し、胸線、裾線を引き直す。

5. 前後同様に。

スカート幅を変える

◎脇線でスカート幅を補正する

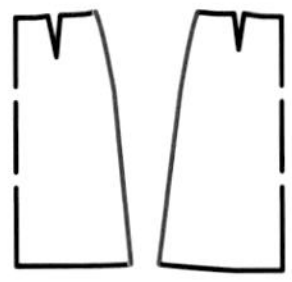

服のバランスを崩さないようにするために、全体で4cmまでは
脇線で平行に増減する。平行に変えるので、ウエストとヒップは同寸法変わる。
4cm以上の増減をしたいときは、中心線でも補正する(p.89)。

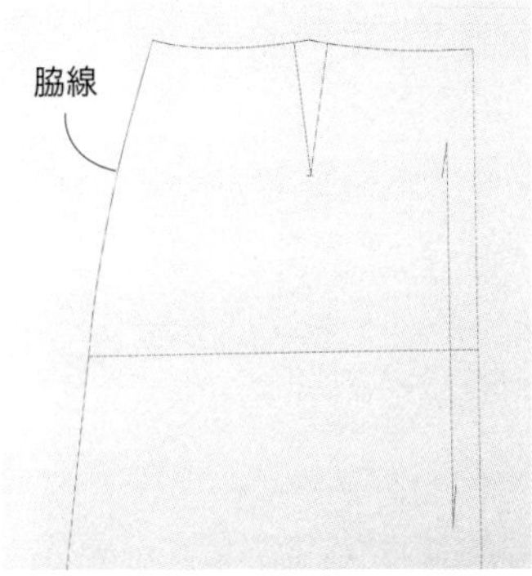

●スカート幅を広くする場合

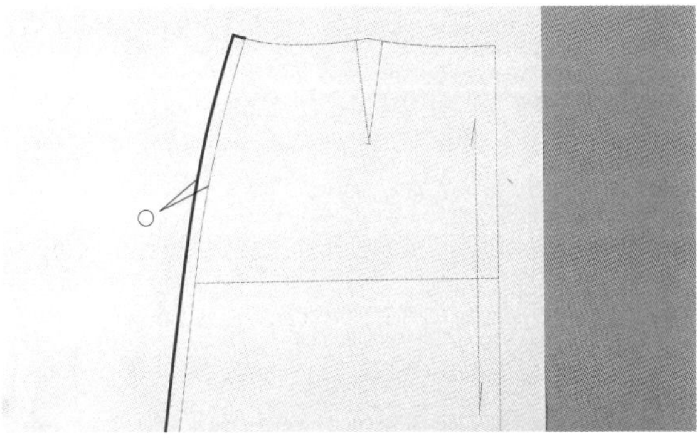

1 全体で広くしたい寸法の¼＝○（最大1cm）を脇線に平行に出す。

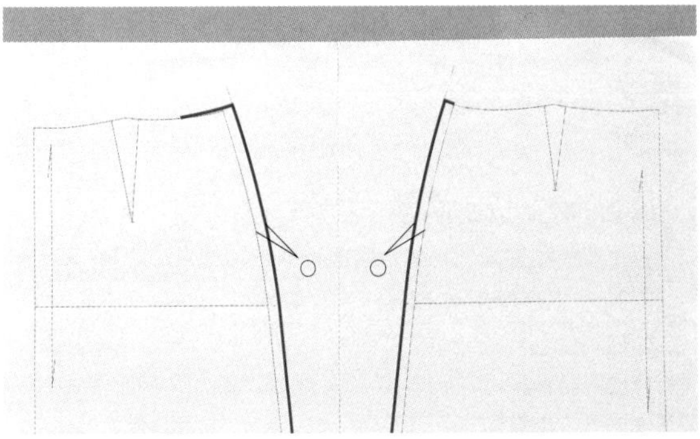

2 前後同様に。

●スカート幅を狭くする場合

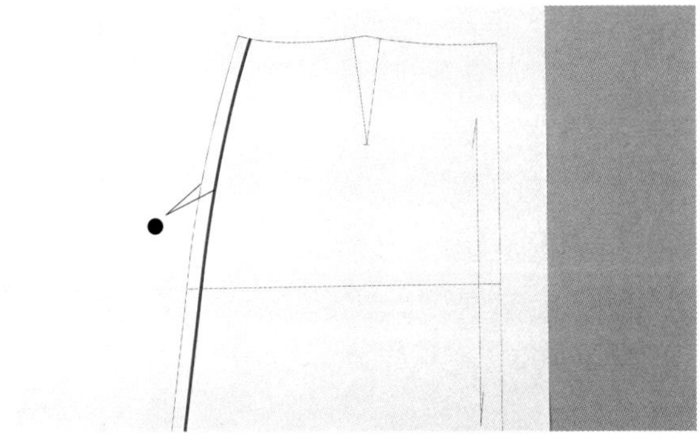

1 全体で狭くしたい寸法の¼＝●（最大1cm）を脇線に平行にカットする。

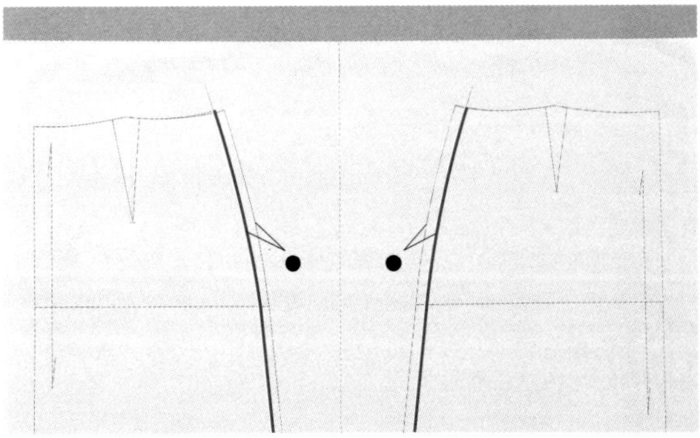

2 前後同様に。

88　パターンの補正

◎前後中心線でスカート幅を補正する

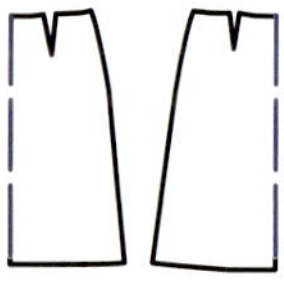

中心線での補正は全体で2cmまで。
平行に変えるのでウエストとヒップは同寸法変わる。

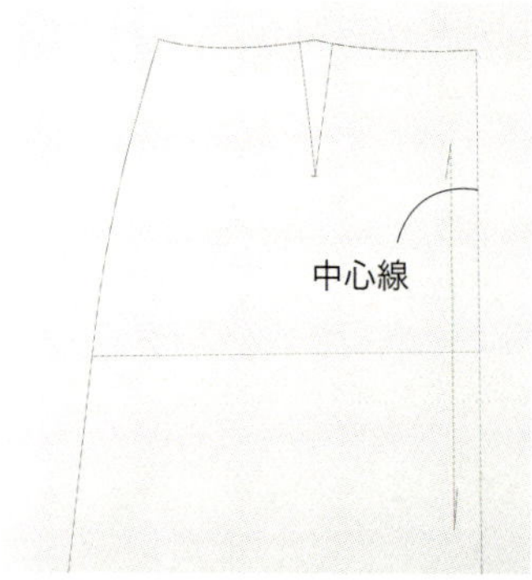

中心線

●スカート幅を広くする場合

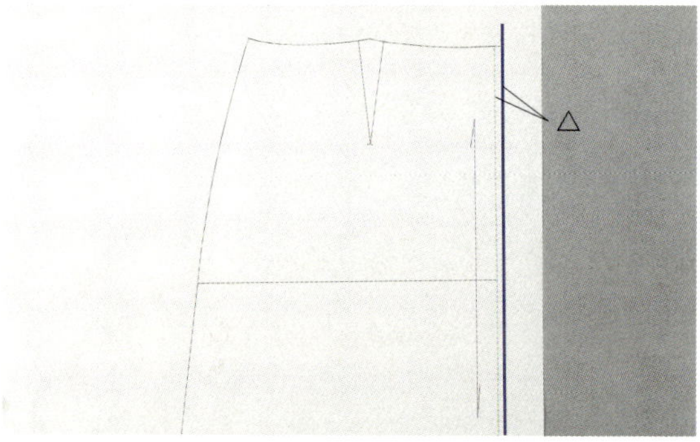

1 全体で広くしたい寸法の¼＝△（最大0.5cm）を中心脇線に平行に出す。

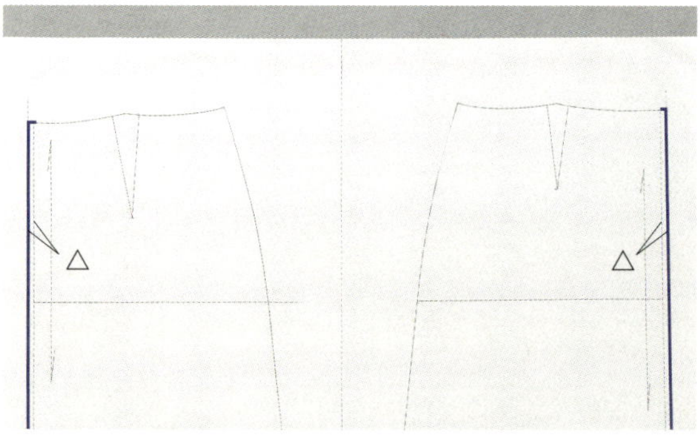

2 前後同様に。

●スカート幅を狭くする場合

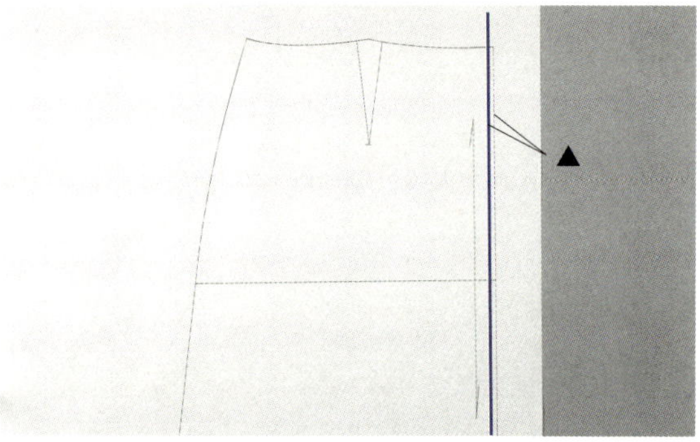

1 全体で狭くしたい寸法の¼＝▲（最大0.5cm）を中心脇線に平行にカットする。

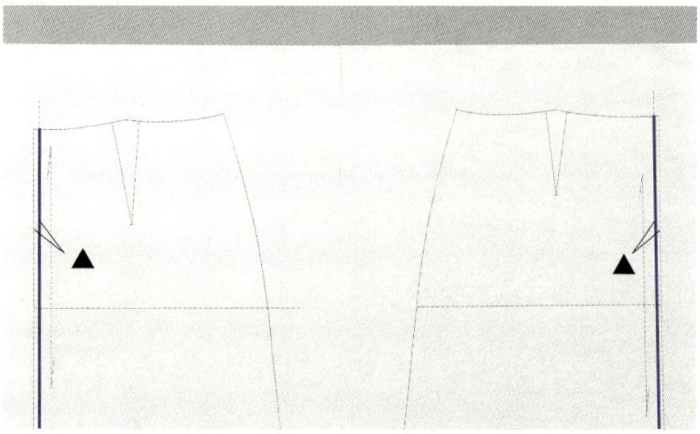

2 前後同様に。

幅の補正

パターンの補正　89

ウエスト幅のみを変えたいとき（ダーツがある場合）

ウエスト寸法のみを補正したいときは、ダーツ分量を増減する。
補正したい寸法を各ダーツに分散するので、ダーツ本数により
変えられる寸法は変わる。1本のダーツで増減する寸法は、
広くしたい場合は0.5cmまで、狭くしたい場合は0.3cmまでにとどめる。

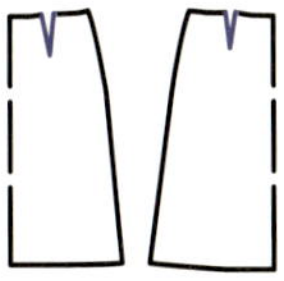

●ウエスト幅のみを広くする場合

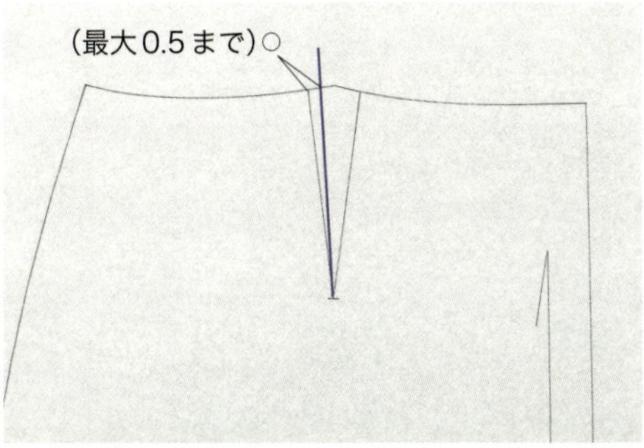

（最大0.5まで）○

1 ○＝（全体で広くしたい寸法÷ダーツ本数）を
ダーツ分量から減らす。

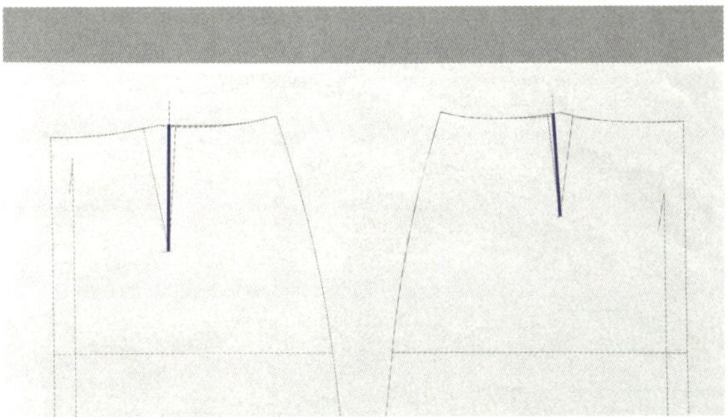

2 前後各ダーツ同様に。

●ウエスト幅のみを狭くする場合

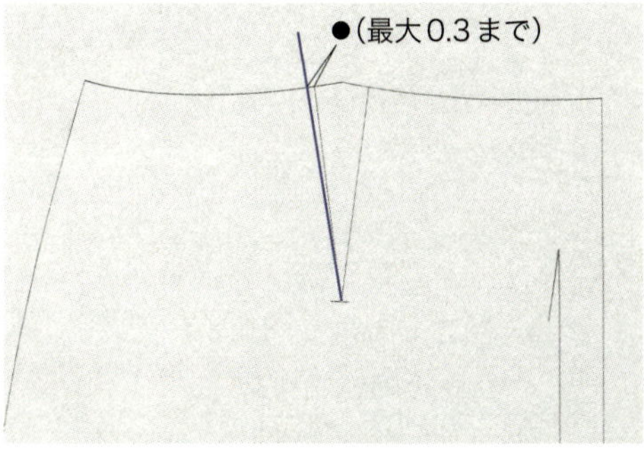

●（最大0.3まで）

1 ●＝（全体で狭くしたい寸法÷ダーツ本数）を
ダーツ分量に追加する。

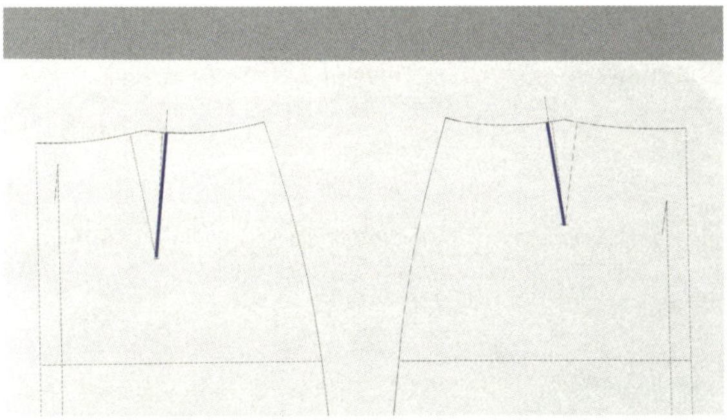

2 前後各ダーツ同様に。

パンツ幅を変える

◎脇線でパンツ幅を補正する

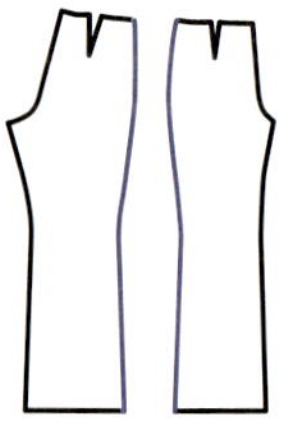

服のバランスを崩さないようにするために、全体で4cmまでは
脇線で平行に増減する。平行に変えるので、ウエストとヒップは同寸法変わる。
4cm以上の増減をしたいときは、パンツ幅の中間でも補正する (p.92)。

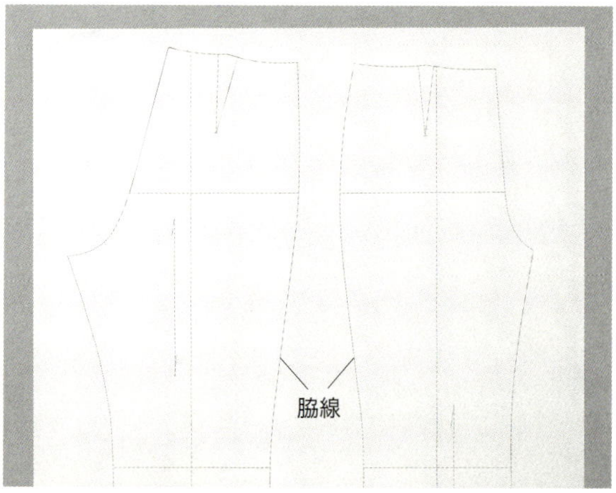

脇線

●パンツ幅を広くする場合

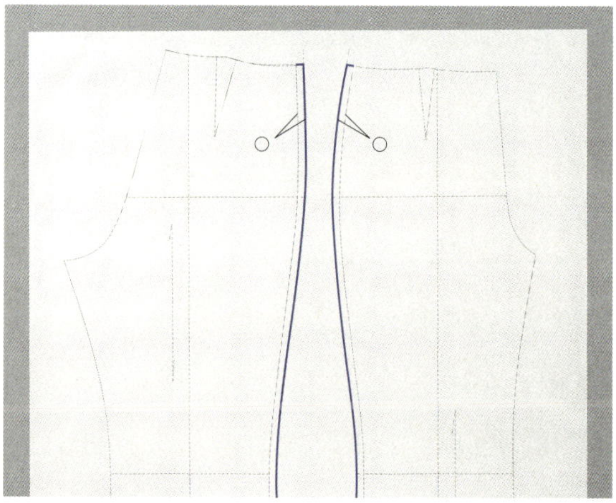

全体で広くしたい寸法の¼＝○（最大1cm）を脇線に平行に
出す。前後同様に。

●パンツ幅を狭くする場合

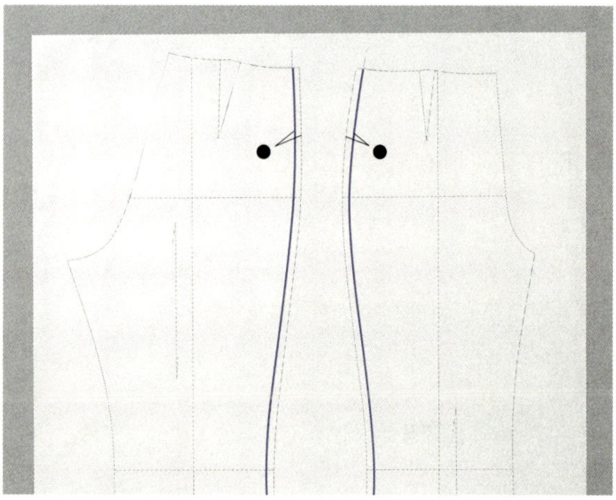

全体で狭くしたい寸法の¼＝●（最大1cm）を脇線に平行に
カットする。前後同様に。

幅の補正

パターンの補正　91

◎パンツ幅の中間で幅を補正する

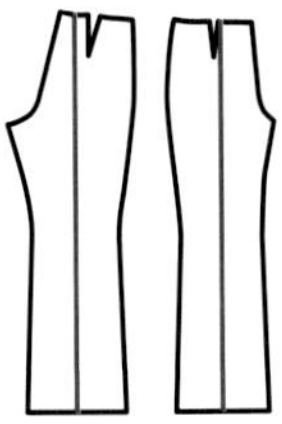

中間での補正寸法は全体で2cmまで。
平行に変えるので、ウエストとヒップは同寸法変わる。

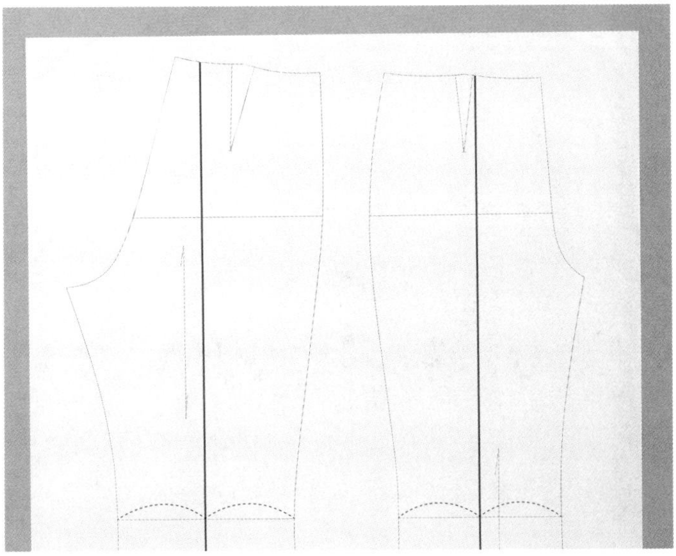

1 パンツ幅の中間に、地の目線に平行な線を引く。

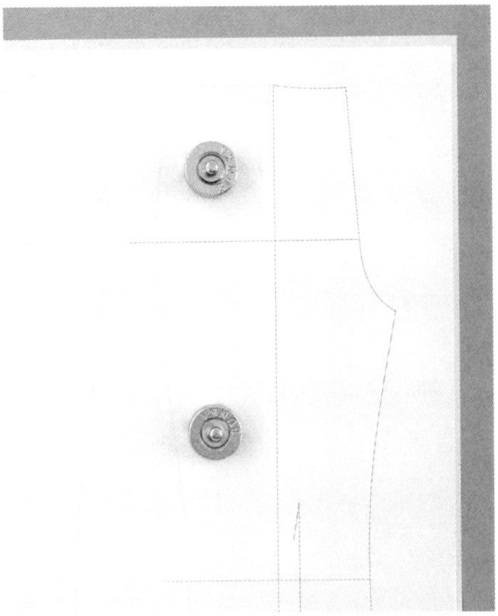

2 中心側のパターンを写す。

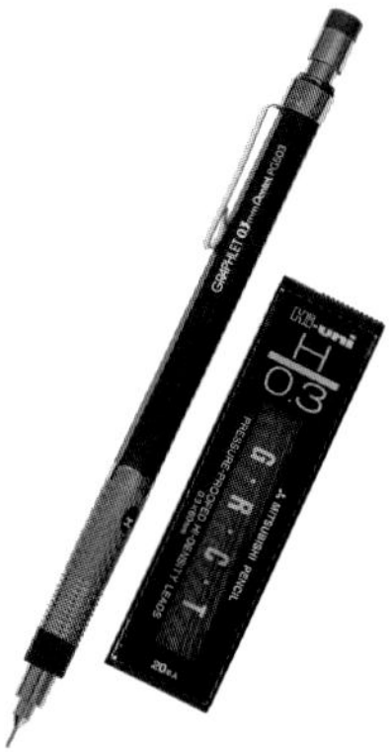

◆ 0.3 シャープペンシル

製図などに用いられる芯の細さが
0.3mmのシャープペンシル。パター
ン作り、特に補正をするときのミリ
単位で線を引く場合、より正確な寸
法を引くことができる。

●パンツ幅を広くする場合

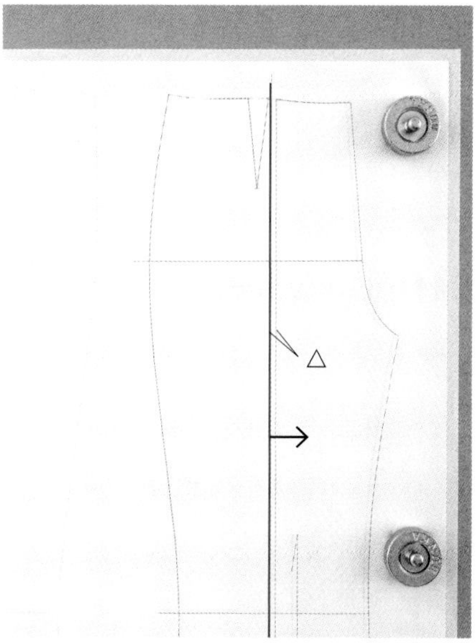

3 全体で広くしたい寸法の¼＝△（最大 0.5cm）を外側に平行に線を引き、**1**の線に合わせ、脇側のパターンを写す。

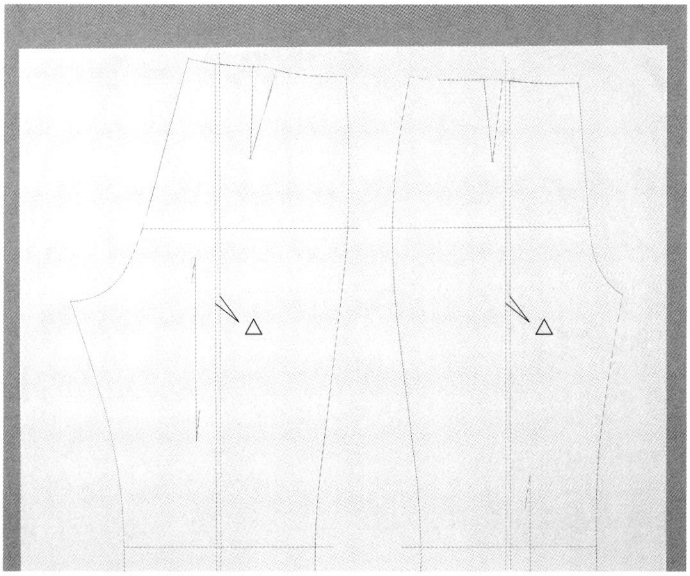

4 前後同様に。

●パンツ幅を狭くする場合

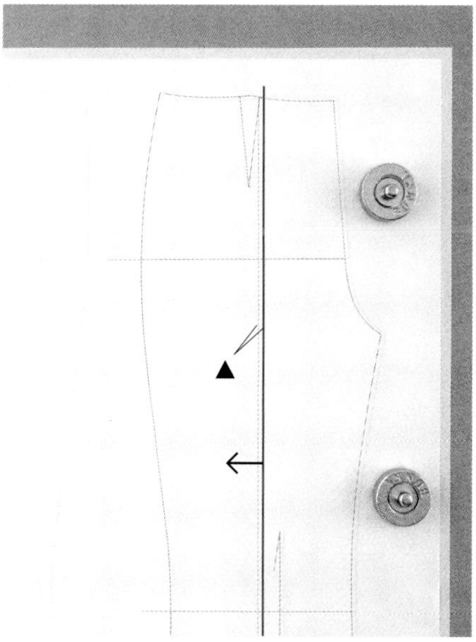

3 全体で狭くしたい寸法の¼＝▲（最大 0.5cm）を内側に平行に線を引き、**1**の線に合わせ、脇側のパターンを写す。

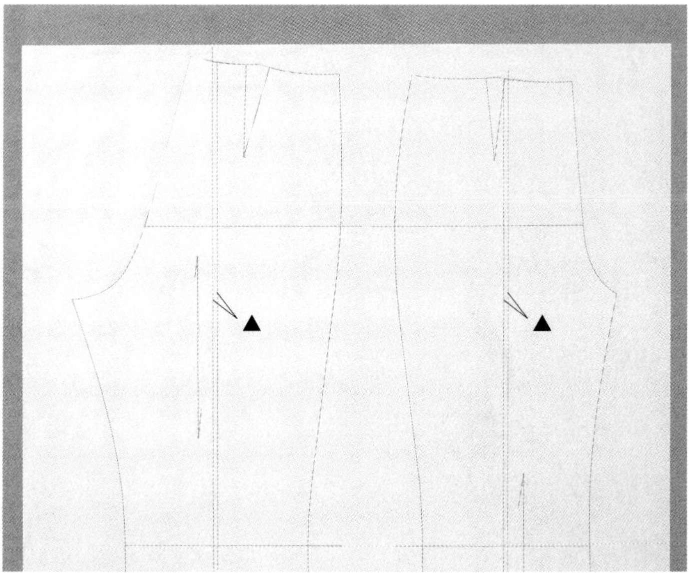

4 前後同様に。

幅の補正

パターンの補正　93

INDEX

【い】
一方性のあるストライプ〈裁断〉 p.44、50
一方性のあるチェック〈裁断〉 p.45、52
色ペンで目印をつける〈パターン作り〉p.10

【う】
ウエスト幅のみを変えたいとき（ダーツがある場合）〈パターンの補正〉 p.90
ウエスト幅のみを狭くする場合〈パターンの補正〉 p.90
ウエスト幅のみを広くする場合〈パターンの補正〉 p.90
写す前に印をつける〈パターン作り〉 p.10
裏起毛の布地を裁つときも〈裁断〉 p.55

【え】
Hカーブルーラー〈パターン作り〉 p.6、18
Hカーブルーラーを使う〈パターン作り〉p.18
衿と衿ぐり〈パターン作り〉 p.27

【お】
大柄〈裁断〉 p.44、46
重し〈パターン作り〉 p.6
重し〈裁断〉 p.38
表布（身頃）のパターンを使って裁断する〈裁断〉 p.61
表布と接着芯を粗裁ちして、芯を張ってから裁断する〈裁断〉 p.62
表布と接着芯をそれぞれ裁断する〈裁断〉 p.62

【か】
肩線、衿ぐり、袖ぐり〈パターン作り〉 p.20
片倒しの場合〈パターン作り〉 p.32
片面チョークペーパー〈裁断〉 p.38
カッター 〈パターン作り〉 p.6、35
カッター定規〈パターン作り〉 p.6、35
カッターでカットする〈パターン作り〉p.35
カッターボード〈パターン作り〉 p.6
カッターボード〈裁断〉 p.38
紙切りばさみ〈パターン作り〉 p.6、35
柄合せ例〈裁断〉 p.46
柄行きのあるボーダー〈裁断〉 p.44
カラーマーカー〈パターン作り〉 p.11

【き】
着丈を変える〈パターンの補正〉 p.71
着丈の中間で補正する〈パターンの補正〉 p.72
着丈を長くする場合〈パターンの補正〉p.71
着丈を短くする場合〈パターンの補正〉p.71
ギャザー〈パターン作り〉 p.9
9AR〈パターンの補正〉 p.70

曲線に縫い代をつける〈パターン作り〉p.29
曲線のはかり方〈パターン作り〉 p.25
曲線や長い距離をきれいに縫い合わせるために〈パターン作り〉 p.26
曲線を写す〈パターン作り〉 p.14
切りじつけ〈裁断〉 p.67

【け】
毛足のある布地〈裁断〉 p.45
毛足の長い布地を裁つときは〈裁断〉 p.55
毛足まで一緒にカットしてしまうと……。〈裁断〉 p.55
消しゴム〈パターン作り〉 p.6

【こ】
コーデュロイ〈裁断〉 p.45
こんなときに……〈裁断〉 p.59

【さ】
サイズについて〈パターンの補正〉 p.70
裁断〈裁断〉 p.37
SNP〈パターン作り〉 p.20
三角チョーク〈裁断〉 p.38、57

【し】
JIS（日本工業規格）〈パターンの補正〉p.70
地直し〈裁断〉 p.39
地の目線〈パターン作り〉 p.8
シャツ（一枚裁ち）〈裁断〉 p.42、43
シャツ（重ね裁ち）〈裁断〉 p.43
シャープペンシル〈パターン作り〉 p.6
定規 30cm〈パターン作り〉 p.6
印つけ〈裁断〉 p.63
芯地のパターンを作って裁断する〈裁断〉 p.60
身長が高く、着丈を長くする場合〈パターンの補正〉 p.73
身長が低く、着丈を短くする場合〈パターンの補正〉 p.73

【す】
垂直線（90°）〈パターン作り〉 p.31
スカート（重ね裁ち）〈裁断〉 p.42、43
スカート丈を変える〈パターンの補正〉p.76
スカート丈を長くする場合〈パターンの補正〉 p.76
スカート丈を短くする場合〈パターンの補正〉 p.76
スカートの場合〈パターン作り〉 p.22
スカートの脇線〈パターン作り〉 p.26
スカート幅を変える〈パターンの補正〉p.88
スカート幅を狭くする場合〈パターンの補正〉 p.88、89

スカート幅を広くする場合〈パターンの補正〉 p.88、89
裾線で着丈を補正する〈パターンの補正〉 p.71
裾線でスカート丈を補正する〈パターンの補正〉 p.76
裾線でパンツ丈を補正する〈パターンの補正〉 p.77
ストライプ・ボーダー柄〈裁断〉 p.44

【せ】
接着芯を裁つ〈裁断〉 p.60
前後中心線でスカート幅を補正する〈パターンの補正〉 p.89
全面芯〈裁断〉 p.62

【そ】
袖口線で袖丈を補正する〈パターンの補正〉 p.74
袖下線で袖幅を補正する〈パターンの補正〉 p.84
袖下、袖ぐり、袖口〈パターン作り〉 p.24
袖丈の中間で補正する〈パターンの補正〉 p.75
袖丈を変える〈パターンの補正〉 p.74
袖丈を長くする場合〈パターンの補正〉 p.74、75
袖丈を短くする場合〈パターンの補正〉 p.74、75
袖山と袖ぐり〈パターン作り〉 p.25
外表〈裁断〉 p.40
ソフトルレット〈裁断〉 p.38、64

【た】
ダーツ〈パターン作り〉 p.9、24、32
ダーツ位置〈裁断〉 p.64
タック〈パターン作り〉 p.9、32
丈の二つ折り〈裁断〉 p.40
丈の補正〈パターンの補正〉 p.71
裁合せ〈裁断〉 p.42
裁合せ例〈裁断〉 p.42
裁切り線をしるして裁つ〈裁断〉 p.57
裁ちばさみ〈裁断〉 p.38、56
裁ちばさみで裁断する〈裁断〉 p.56

【ち】
チェック柄〈裁断〉 p.45、48
チェック柄を2枚重ねて裁つとき〈裁断〉 p.68
注意したい縫い代つけ〈パターン作り〉p.32
直線定規を使う〈パターン作り〉 p.15
直線に縫い代をつける〈パターン作り〉p.29

94　INDEX

直線を写す〈パターン作り〉　　　p.13
チョークペーパーを使わない印つけ〈裁断〉
　　　　　　　　　　　　　　　　p.65
チョークペンシル〈裁断〉　　　　p.38

【つ】
突合せ〈パターン作り〉　　　　　p.9
突合せの場合〈パターン作り〉　　p.32

【て】
Dカーブルーラー〈パターン作り〉p.6、16
Dカーブルーラーを使う〈パターン作り〉
　　　　　　　　　　　　　　　　p.16
でき上り線をしるしたいとき〈裁断〉 p.67

【と】
特殊な定規を使う〈パターン作り〉　p.16

【な】
中表〈裁断〉　　　　　　　　　　p.40

【ぬ】
縫い代つけにあると便利〈パターン作り〉
　　　　　　　　　　　　　　　　p.36
縫い代なしのパターンで裁つ〈裁断〉 p.66
縫い代をつける〈パターン作り〉　p.28
縫止り〈パターン作り〉　　　　　p.9
布地の重ね方〈裁断〉　　　　　　p.40
布地の柄と方向性〈裁断〉　　　　p.44
布地の表面に印をつける〈裁断〉　p.63
布地の耳がつれている場合〈裁断〉 p.68
布地の裏面に印をつける〈裁断〉p.63、64
布地を合わせる〈裁断〉　　　　　p.40
布地を重ねるときの注意〈裁断〉　p.41
布地を裁つ〈裁断〉　　　　　　　p.56
布地をなでるようにすると……。〈裁断〉
　　　　　　　　　　　　　　　　p.41
布地を二つ折りにして重ねる〈裁断〉 p.40

【の】
ノッチ〈裁断〉　　　　　　　　　p.58

【は】
バイアス線（45°）〈パターン作り〉 p.31
バイアスに裁つ〈パターン作り〉　p.8
はさみでカットする〈パターン作り〉 p.35
パターン仕上り寸法と参考ヌード寸法〈パ
ターン作り〉　　　　　　　　　　p.7
パターン上の記号〈パターン作り〉 p.8
パターンチェック〈パターン作り〉 p.20
パターン作り〈パターン作り〉　　p.5
パターンの上に紙をのせる〈パターン作り〉
　　　　　　　　　　　　　　　　p.12

パターンの選び方〈パターン作り〉　p.7
パターンの下に紙を置いて写す〈パターン
作り〉　　　　　　　　　　　　　p.19
パターンの上下をそろえずに裁つ〈差込み〉p.43
パターンの上下をそろえて裁つ〈裁断〉p.42
パターンの補正〈パターンの補正〉 p.69
パターンを写す〈パターン作り〉　p.10
パターンをカットする〈パターン作り〉 p.35
パターンをはり合わせるには〈パターンの補正〉
　　　　　　　　　　　　　　　　p.72
パターンをまち針でとめて裁つ〈裁断〉p.56
ハトロン紙〈パターン作り〉　　p.6、12
パネルラインの袖ぐり〈パターン作り〉p.34
幅の二つ折り〈裁断〉　　　　　　p.40
幅の補正〈パターンの補正〉　　　p.80
パンツ（重ね裁ち）〈裁断〉　　p.42、43
パンツ丈の中間で補正する〈パターンの補正〉
　　　　　　　　　　　　　　　　p.78
パンツ丈を変える〈パターンの補正〉p.77
パンツ丈を長くする場合〈パターンの補正〉
　　　　　　　　　　　　　　p.77、79
パンツ丈を短くする場合〈パターンの補正〉
　　　　　　　　　　　　　　p.77、79
パンツの場合〈パターン作り〉　　p.22
パンツ幅の中間で幅を補正する〈パターン
の補正〉　　　　　　　　　　　　p.92
パンツ幅を変える〈パターンの補正〉p.91
パンツ幅を狭くする場合〈パターンの補正〉
　　　　　　　　　　　　　　p.91、93
パンツ幅を広くする場合〈パターンの補正〉
　　　　　　　　　　　　　　p.91、93

【ふ】
付箋〈パターン作り〉　　　　　　p.11
付箋をはる〈パターン作り〉　　　p.11
部分芯〈裁断〉　　　　　　　　　p.60
フリーハンド〈パターン作り〉　　p.14

【へ】
平行線〈パターン作り〉　　　　　p.30
別珍〈裁断〉　　　　　　　　　p.45、54
ベロア〈裁断〉　　　　　　　　　p.45

【ほ】
方眼定規 50cm〈パターン作り〉　p.6
方眼定規 30cm〈パターン作り〉 p.6、25
方眼定規の使い方〈パターン作り〉 p.30
方眼定規を使う場合〈パターン作り〉 p.29
ポケット位置〈裁断〉　　　　　　p.63

【ま】
前あきの衿ぐり〈パターン作り〉　p.33

まち針・ピンクッション〈裁断〉　p.38

【み】
身幅と袖幅を変える〈パターンの補正〉p.80
身幅の中間で幅を補正する〈パターンの補正〉
　　　　　　　　　　　　　　　　p.86
身頃の場合〈パターン作り〉　　　p.22
身幅を狭くした場合〈パターンの補正〉p.85
身幅を狭くする場合〈パターンの補正〉
　　　　　　　　　　　　　　p.82、86
身幅を広くした場合〈パターンの補正〉p.84
身幅を広くする場合〈パターンの補正〉
　　　　　　　　　　　　　　p.80、86

【め】
目打ち〈裁断〉　　　　　　　　　p.38
メジャー〈パターン作り〉　　　p.6、25
メンディングテープ〈パターンの補正〉p.72

【よ】
用具〈パターン作り〉　　　　　　p.6
用具〈裁断〉　　　　　　　　　　p.38
洋服裁断曲線製図用原型〈パターン作り〉
　　　　　　　　　　　　　　　p.6、17
横地に裁つ〈パターン作り〉　　　p.8

【り】
両面チョークペーパー〈裁断〉　　p.38

【る】
ルレット〈パターン作り〉　　　　p.19
ルレット〈裁断〉　　　　　　　p.38、64

【れ】
0.3シャープペンシル〈パターンの補正〉
　　　　　　　　　　　　　　　　p.92

【ろ】
ロータリーカッター〈裁断〉　　　p.38
ロータリーカッター＆替え刃〈裁断〉 p.59
ロータリーカッターで裁断する〈裁断〉p.58

【わ】
脇線、裾〈パターン作り〉　　　　p.22
脇線でスカート幅を補正する〈パターンの
補正〉　　　　　　　　　　　　　p.88
脇線でパンツ幅を補正する〈パターンの補正〉
　　　　　　　　　　　　　　　　p.91
脇線で身幅を補正する〈パターンの補正〉
　　　　　　　　　　　　　　　　p.80
わに裁つ〈パターン作り〉　　　　p.8

水野佳子 (みずのよしこ)

ソーイングデザイナー。
1971年生れ。文化服装学院アパレルデザイン科卒。
アパレル会社の企画室勤務の後、フリーになる。
雑誌上でデザインから縫製、パターンメーキング、
作り方解説などを発表、ソーイングファンに定評がある。
ほかにも衣装製作など "縫う" を軸にして幅広い分野で活躍、
多忙な日々を送っている。

ブックデザイン　楯まさみ
撮影　藤本 毅 (B.P.B.)

[参考文献]
『ファッション辞典』(文化出版局)
『失敗しない接着芯の選び方、はり方　接着芯の本』(文化出版局)
『エレガント vs カジュアル』(文化出版局)
『カット＆ホームソーイング』(文化出版局)
『オーダーメイドスカート』(文化出版局)
『私にぴったりな、ブラウス、スカート、パンツのパターンがあれば……』(文化出版局)
『きれいに縫うための基礎の基礎』(文化出版局)
『新・田中千代服飾事典』(同文書院)

パターンから裁断までの基礎の基礎

2010年 2月22日　第1刷発行
2013年 1月29日　第6刷発行
著　者　水野佳子
発行者　大沼 淳
発行所　学校法人文化学園 文化出版局
　　　　〒151-8524　東京都渋谷区代々木3-22-7
　　　　tel.03-3299-2401 (編集)
　　　　tel.03-3299-2540 (営業)
印刷・製本所　株式会社文化カラー印刷
©Yoshiko Mizuno 2010　Printed in Japan
本書の写真、カット及び内容の無断転載を禁じます。

・本書のコピー、スキャン、デジタル化等の無断複製は著作権法上での例外を除き、禁じられています。
本書を代行業者等の第三者に依頼してスキャンやデジタル化することは、たとえ個人や家庭内での利用でも
著作権法違反になります。
・本書で紹介した作品の全部または一部を商品化、複製頒布、及びコンクールなどの応募作品として出品する
ことは禁じられています。
・撮影状況や印刷により、作品の色は実物と多少異なる場合があります。ご了承ください。

文化出版局のホームページ　http://books.bunka.ac.jp/
書籍編集部情報や作品投稿などのコミュニティサイト　http://fashionjp.net/community/

【好評既刊】

『私にぴったりな、
ブラウス、スカート、パンツの
パターンがあれば……』

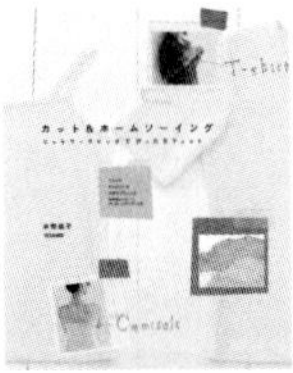

『カット＆ホームソーイング』

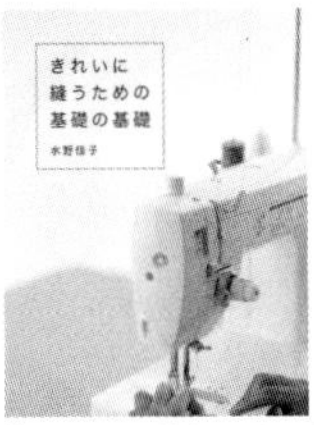

『きれいに縫うための基礎の基礎』

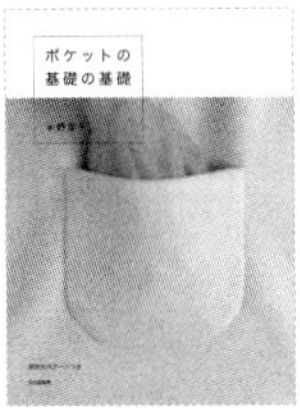

『ポケットの基礎の基礎』

『あきの縫い方の基礎』

『特殊素材の縫い方の基礎』

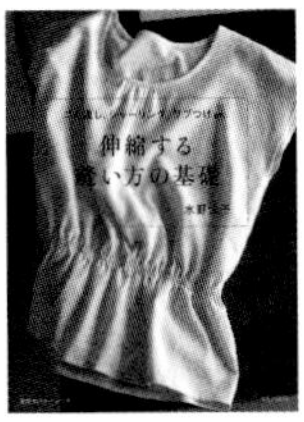

『伸縮する縫い方の基礎』

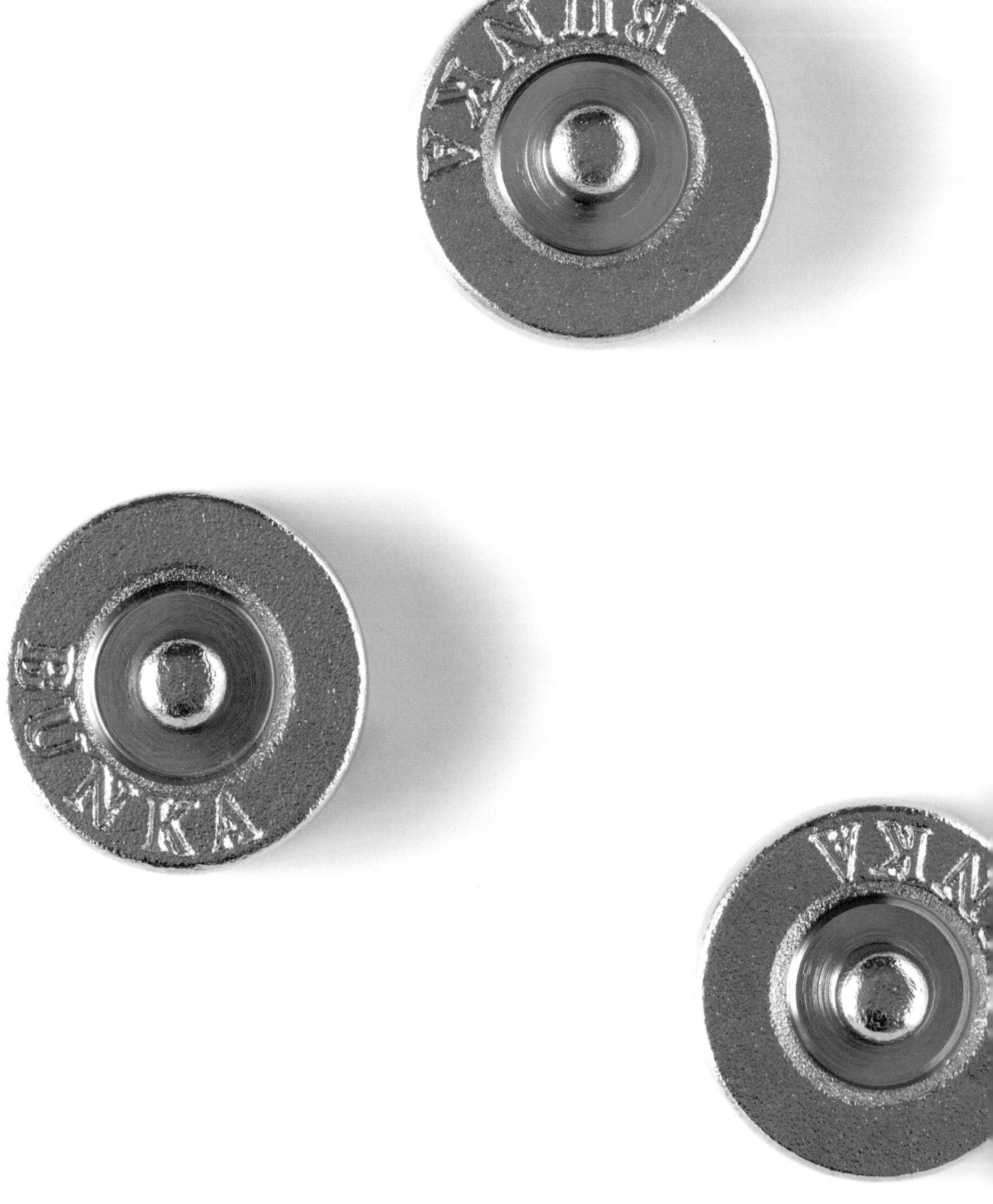
BUNKA
BUNKA